言葉の星座

鴨田潤

1

galaxy express

深く歩きすぎで行きどまり立ちくらみ
さらに飛びあがり影を踏みこみ
白い雲よりも前でのびる線路
顔をあげて
意識、駅に飛ばし踏みこむ

地上100mで流れる電車
大理石のトンネルを長く通る間
赤くはげたシートの上
カバン抱えたままで目を閉じて深く耳をすます
やたらにほめる広告に沈黙と
黙々と遠のく夢の木坂の分岐点
目的は反響に丸めこまれ

1

長々と歌う残響のなかで
深く聴覚の根染みこませ
微かな信号頼りたどって舵を取り
方位位置を測り走らせる
出口は間も無く
粉々に散った日曜のライム
ラグタイムのカッティング
気分のセッティング
指を指す先頭方向に
もう
隈なく探した出口間も無く

スパッと

路上は全て滑走路と化す

地上100mから見上げる景色は
世界いっぱいにあふれだす車窓から
向こうに居てる立ちあがった
つまめそうな
しかし、そびえ建つ棒グラフ ビルに向けて
まるで昔かっ飛ばしたホームランの様にスカッと届く絵が見える
ビューン、と飛び出す淡い色彩
行った行った
1個2個3個とごぼう抜き
飛びに飛び　抜きに抜き
見上げる笑顔軽くまたぎ
そのまま景色は3㎞先を中心点にゆるりと走り続ける
速度落とすことなくスピードさらに荒くレール蹴り上げて
照りあげる太陽　エッ?陽?
向かい伸び上がっていく　減速することなく

マッシブに真っ直ぐに真っ白な雲へ突入

1

マッシブに真っ直ぐに真っ白な雲を突き抜けて

地上100㎞から見渡す
水色から青へと深く変化
「天界へ上らん」とイカロスが挨拶
天よりもずっと上りますと交わす挨拶
マッシブに真っ直ぐに振り返らず駆け上がる
行ける所まで生きようと意気揚々と
私用で用意していた菓子パンかじって
グングンと飛び出す淡い色彩
お互いがグラデーションで溶け合って
瑠璃色の空で流浪
瑠璃群青色の空で流浪

マッシブに真っ直ぐに

UFO日和

キラメキは波から生まれ
パノラマの空を見あげて
今日日いっちょやるかなんてパッと体もちあげて
雲一つ眺めつついつもよりも曇るレンズ
絡み合う枝と枝の遠近法が生み出す数々のトリックのアイディア
ポツポツと浮かんでは消えてゆき
空気にメモる様はタクト揮うマエストロ

ちまちまと左右に流れるに
徒然に居るというか在るの空気
状態と間を保つために煙吐いて
取りあえず昼に沿って
速攻緩いテンション

1

ちょっと待ってきっと来るから、と言って
じっと見上げてもお天道様あからさまにぼかすピント
まったりと点呼連呼するとふっとテントもぞもぞとのんびりとスラッと飛行機雲
安らぎか はたまたこれも良しとするか
待ちわびたまま　頭はクラクラ
じっと何処かで　オペラグラス片手に　上手に下手に　目玉はグラグラ
何となく在るとしか言えない事態に　期待辞退ながら　見たいと続投
希望は朦朧と　点と点は点のまま　斜めから照らす陽が影を伸ばし延長

のらりくらり
昼夜問わず
鳴かず飛ばず
ギラリギラリ
深夜光
加速して滑翔

ちょっとマント纏って
ちとてと踊って
ひと時素通す
通る声もトーン落とす
スヤスヤやるとスクスク生るときも惜しんで
イベントのテーマも移心で
意志に従いお互い強い獅子逞しき
短針長針秒針　きちんと羅針盤
鞄　バンバンと並べて
今夜ナイター延長と緊張の絶頂

青から光り差して飴の色に流れて
どんよりと溶けて落ちて銀河線が点を結ぶ

1

ファゥウルする休日

朝10時に目が覚める
磨りガラス越しで見るかぎり雨では無く
チクタクと刻む毎日のリズムと
休日独特の空間処理が成すメロディに合わせ体起き上がる
タバコ一服
煙そっぽを向く
窓、窓を開けると
聴こえるタイヤのエコー
聴こえるタイヤのエコー
今日何処　今日何処
行こうと巡りつつエコー
コケコッコー
結構涼しく思うので

レクルーズのシングルに針を落とすと針
針を落とすと回り
その声とその声のピッチ上げた声のツインスイング
気持ち好く着替える
青空を迎える
こんな日に
聴こえるタイヤのエコー
聴こえるタイヤのエコー
今日何処　今日何処
行こうと巡りつつエコー
風に背く　ペダル漕ぐ
タイヤ動く　ごくごく当たり前の温度が
動き出した　ビート
チクタクと刻む毎日のリズムと休日独特の
空間処理が成すメロディ
ミニマム覗く毎日を拭う
充実休日転換　取り敢えずメロディ

ファウルする平日

気候は良好
空で雲が飛行
起用に彷徨ってる様
中々真似できない描写力を持つペンが弾き出して更に浮き上がる
主婦と子供
其れで其処に住む主のみ毎日公園
プラスゲスト俺
空いた時間が空いた距離を
凪いだ時から微妙に行ったり来たりの小舟
状況で近況報告
方角は広角レンズ越しの角膜に焼きつく
身に付けた魚のバッチが海に帰った

あぶれて流れて呼ばれもせずに
外れたレンズで名付けて発明
指名は有る
で、名刺は無し
出番が来たら指名して

今日を問う

歩き疲れちゃった今日の俺はどうだどうだ
今日は何故かスーツノリで会社面接
ワンツー
切実にハッラッとファイト見せる態度
アルバイト再度其れもアリと思うと
妥協か今日もでも疑問門の中でワン！とさんずいが潤った目の玉
倒せ！倒す相手って其奴は誰だ
晴れた空に向かって靴を投げた
紫外線ばっか浴びて肌が荒れた
でもねもしか決まってアレって？まるで
脅迫多数決集まると溜まる
交わるとアスファルト泣いてくれるか
合格不合格仕切入れて比率

電卓叩くとグレてクーデター
終わったらら後の祭り周りしめるタイを緩め
背広脱いで15球200円
キンコンカンコン金属バットかっ飛ばす
夕方の3時にバッティングセンター
ユニホーム姿親父バット持ってネット越しに
こんな時間になんで?ってしらんガキに激を飛ばす
時と場所と年齢 歯車はまあ噛み合わない
その空気をガキの練習不足と決断
愚痴ブツブツ口の中でいわす親父の顔面がこっち向いて
矛先は?
想うところ有って屋上昇ってビルは西にそっぽ向いて太陽振り切って
フォームは崩さず外さないタイミング
コースは五月蠅く明日の西日に
目掛けて目立ってバット振りまくって
その内奇跡的に

歩き疲れちゃった今日の俺はどうだどうだ

軽い足取りで踊り高架下だろうか
テンポよく店舗並ぶ歩く商店街
スリーフォー
切実にハツラツとファイト見せるバイト
環境がそうさせたのかと思うと
魔法か?アホか?クエスチョン門の中でワン!とさんずいが潤った目の玉
探せ!探す場所なんか最初からウソで
仮に建てた空間にサジを投げた
しからずんば落下落ちて声も涸れて
背もたれに委ねてコレって?まるで
想うところ有って屋上昇ってビルは西にそっぽ向いて太陽振り切って
フォームは崩さず外さないタイミング
コースは五月蝿く明日の西日に
出かけてスカッとカットして貰って

その内見せるときに
歩き疲れちゃった今日の俺はどうだどうだ

内緒&ロール

ちょっと良い話

チョイ来てみ　耳
貸してみ　耳
出してみ　耳
片耳　耳　耳

内緒!内緒!内緒!内緒!内緒!内緒!内緒!
内緒!内緒!内緒!内緒!内緒!内緒!内緒!

内緒の話に挑戦しましょう
ここじゃ何やから
輩が宝を横取りしようと

思い過ごしかな
ワア！っと山彦
ビク！っと地声に驚く
たったっ助けて！
喉まで出てきて震わず飲みこむ
ですから
此処じゃ何やから

何処まで行くん
どれから聞くん
嘘か誠か知らない世界
命の保証は
妻と子供は
聞いてのお楽しみ
あいすみません

イニシャルで交わす書き割りバトル

1

雑音と擬音聴き分ける
瞬間判断ヒヨコの雄雌
まあ　まあ　年中無休
死んだら結果の第一世界
金貨が結果の第二の世界
シンパが結果の第三世界
信者が結果の第四世界
で、何処へ

お好みのボタンで
合い言葉　其れが最後とは！
潜りこんで　絞りこんで
出来事がまさに湾曲だ！
耳かっぽじって聞いてみて
売り言葉　それで解雇とは！
勉強か誓う不屈の足場
只、只、只、

蟻殺り屋　踏ん張って売って！
流し込んで　固め取って
地面に潜った事実掘りだす

書けました。

内緒&ロール
騒ぐハンドル
冒涜　警告　チャンネル　キャンセル　計画　結託　連絡　漏れてる
内緒&ロール
騒ぐハンドル
冒涜　警告　チャンネル　キャンセル　計画　結託　連絡　漏れてる
ナ！ナ！ナ！　内緒&ロール！

便利な世界に成りました
チクリの王様　チクリの小姓も
日々精進して下さい

1

利き耳の利きが利き酒の利きの意味やとすると
どちらか一方の体が傾きます
さて　どっちが正解でしょうか？
ヒントは　ヒヨコの雄雌

夕べの雨

夕べの事は水とひと月
ビックリする　ほら言葉爪弾き
朗らか　なだらかなカーブ
穏やか　なだらかなカーブ
引き出しの奥で沈んでいる
信号は青で忘れている
ヒリヒリと赤が腕の方
もう一度　ほら　と浮かんでいる
地平の果てまで続いている
ようやく到着
笑顔が跳ね返り染みこむ
待つ者が得か損かは君次第
明日を歌う今日は晴れ舞台

1

マンツーマン
半歩遅れて辻褄合わせ
例の事なら検討中
ウン、やっぱ未だ途中
夢中に成っている事が有って
口癖のように語尾上がって

「カレー屋の2階から次回の出題が出るのを期待しているなんて未だ未だ甘い」

探していたのは　広いと思っていた結果
濁った思考はどっかにレッカー
解けた靴紐そのままアンテナで
ロケットさよなら　見せて　教えて
で、序でに伝えておいて
ここら辺の風景とナビゲーション
二人の雨止まぬ
変わらぬ行方と解らぬ答えと

笑える例えを

オープニング

オーライ！
カチカチカ　煌びやか光が
眠たげで開けられぬ眼に差す
らひらひら　規格外日差しは
朝から影を縮めていく
落ち着き過ぎ
機嫌直して　寝癖の如く立ち上がり
街と空を動かすのが分かる
カーテンと雲がタネを明かす
スローモーション

響き　謳い　喘いで仰ぐと
それからのセレモニーは

小競り合いのランチタイム
木立　凬にゆらり
眠たげにあくび一つ
回想のガイタンス
ブラスバンド　もっと！もっと！

知りたいって言ったって　それだけは言えません
偶然を装って忍び込んで行くだけ
反転してる自業自得
狂乱　書き溜めて　回覧　出番だ
搾り取る吸引ガムを噛み噛み
出鱈目で驚いている脚本
忘却　下したら
離れ離れ
大胆！
思い切って踏み外す季節だけの片手が
胸元を摑み

1

眼を伏せ
息一つ

深い呼吸　呼び寄せる　対流
何処かに未だ眠ってる
うん、透明で張り出す六感は
空間に広まって
誰かなんか問題外
例外にだけ動きが　吐き出される

はい　もうもっと遠くまで
飛んでいって　行っちゃって
くたばって　死んだって？
嘘の合唱　発想が滑翔
近郊も遠方もセレモニーに参上
落ち着き過ぎ
機嫌直して　寝癖の如く立ち上がり

街を黄緑色に
体反らして　腕を伸ばして　風を切りながら
くるくるくると描く　ブーメラン

ブーメランセレモニー

遠くまで曲げる

おや？

放り投げて
放り投げて、と
言い聞かせて
放り投げて
受け取ります
ポイ

助けてよ　差し出す手
歯痒くて　可愛くて

誰の差し金？
お疲れ様　お待たせ
歓迎跳ね除け一瞬だけ
呆気にとられて　そのまま
眼塞ぎ　手入れる
腰掛けて　けしかける
形　箱舟のレプリカ
私はカモメのヤーチャイカ
時々　ときめき
メッキが煌き
振られて閃く
白旗に埋める
目玉は鬼の頭か？
喝！
硬く　赤く　高く　温かくなり高まる
「早まるな　収まり　まぐわうからな」

おや？

放り投げて
放り投げて、と
言い聞かせて
放り投げて
受け取ります
ポイ
トッポイ坊主の頭が
刀に概念切られて快感得る
それでようござんすか？
胡散臭くないかい？
ないわい
うん？勘違い
あい　すみません

どうなる

だったら何でたらい回しに
運命か？

移動
揉みくちゃに　溶ける前に集合
濃厚な光合成　性比べ　フットワーク
獰猛な眼光　猛る
殖えるワカメの間　素っ破抜く
道標
シメシメ
予め決められてるレッテル食い千切る
吐き気　眩暈　厄介な病
願いましては　で　ご破算で零の合唱
放り投げて　届きますよう
ゴールは馴れ合いの麓で戯言
故　夢に任せて

尻に敷かれてる絨毯
九官鳥　返す絵空事

放浪する咆哮
に
笑み浮かべて

放り投げて
放り投げて、と
言い聞かせて
放り投げて
受け取ります
ポイ

閑話休題

追え日付変更線
声掛けても千光年
逃げないが追えない
取れない　連れない

ひたすら後姿
壁は背後
誰も前に気配
うっすら　見せては無かった
当然　とうせんぼ
呆然

1

剣抜けん
もう　仕様ないから荒れるわ
柄じゃない　空から出ない
放り出された身　ひとつ
ボチボチ　現実に返信
で　そう信じて送信
相手はカナリヤ
がなり屋が絞る喉はオカリナor錆びたラッパが
瞬時にプラチナダイヤ
あれま
それが火事場の力が！
ならば
オーライ

真っ逆様に　あからさまに
赤くなる表情で心情が

尋常じゃあ無い
以外と純情、いや健康状態が心配
ガタが来たタガメ　噛めば吸い付く
吸血　複雑　入り組む
アイディア　有るまいと再度身振る態度は

追え日付変更線
声掛けても千光年
逃げないが追えない
取れない　連れない

やいやいやい

痺れる念仏呟く
ビビデバビデ

1

まじでビビッて　慌てて口遮り
ギリギリセーフ
セーブ　ペース乱さず　スルー
うるると潤う
フルーツで腕振るう
無我夢中　染み入るブルース拭う
進入遮る風を待つ
口笛聴こえ　振り向けば
そうか　是が閑話休題の間
今まさに　ポンと打つ手
打ち出の小槌　頬擦り
一振り降ろし
出るわ出るわ　急くな　押すな
スルリスルリ登るスリル
蜘蛛の糸　俺、カンダタが
開拓　貫通　開通
現抜かしてたのかも

芯が有り　残していく
砂山次第に小さく

一人遊び　立てるも倒すも我が身
降りかかる火の粉
言わせない
四の五
は
追え日付変更線
声掛けても千光年
逃げないが追えない
取れない　連れない

やいやいやい

1

あ、さて
閑話休題

フライング

気分変えて他の場所
立ち読み紀行
私の希望　叶える秘境
あ、そうだ　行こうと思ってた所
此処ら辺に在った様な　無かった様な

雨はまあ、降りそうっちゃ降りそう
傘が無いから　急ごう　やあ　急かそう
話す様に成って明日の事
話す切っ掛けって昨日の模様
用意今日にと
ボウっとしていて気分　宇宙飛ばしていた
意識取り戻し　だのに目玉は動かない

1

真っ正面水平線凝視
呼びかけられても無視
で、危機感は無し
「アレ見て」見たフリ

街から街　絶望の淵に沿って立ち並ぶ道
毎日変更無くお家に
バカバカしいテリトリー唱いギリのラインに
お呪いの様に鱗粉を撒く姿舐めるカメラ
実況解説下がっておくれよ
クレヨンが折れて今日の任務此処まで
息を止めて音を求めて

さて

スタートボタンの上に指は常時待機

フライングは無しでバイバイ

街から街は移り　窓から顔が一人
悩めるなら辞めるかい？
早める軸回らない
来週再来週まで　発展展望台の
天辺戦闘態勢で万全安全体制

フライングは無しでバイバイ

1

目無し

平日昼過ぎに出る　繁華街への船に乗る
平日夕暮れに出る　繁華街への船にも乗る
舵取りを取り上げられ　乗り込んでみると
違和感が発作的に気分に染み込む

オール漕ぐ仕草　羨ましくも反面
底辺に溜まるゴミ　澱み無く渦を巻く
吸い付く様　見てる目は魚眼で
悲観日に甘く美しくドラムロール流す
どろり
壷に隠すリズム　いっそうの事
太陽と気分沈む間に

黒点に守られる目のやり場が開き
北西に落ち着かす絵の価値　又然り
ミスタッチ残すナイーブさ
うらはらに模様
口チャック　殺す　ハープの振動

路側帯に落ちた枯葉の色が外に
それが欲しく腕を伸ばし筆で掬い取る

嗚呼　オレンジ色に
目を閉じても見える
船　遠く

1

たちんば

たるい　あのう　毎日

一時間づつ　ずれ
ずるい
辛い薄ら笑い
裏側　扉
灰色の空はビルの間から
暗い前夜祭　仕事の合間

ただいま。

溜めて吐く息に気遣い
一回一回息殺して口笛が描く

電線に鳥は　誤斜線に音符
モップに顎置く
どんどどん　どどん　どどん
どんどんと鳴る雷に祈り

「御願ぃ　止まないで雨」

覚めた眼が選ぶ景色
昨日　居のうとしてるの見てた
浮かび上がり張りつめる
こめかみから目にかけて重い思い出がでた

「雨は未だ降って
灰色の空はビルの間から・・」

若干は　有る
じゃあ　バイバイ
一巻の終わり
繰り返すはず
熱い
担がれてるのと目があう
たった是だけの幅が語る
かったるく歩く
さわりだけ　話す　歌留多取り合う
未だ徐々に移る暗い雲見よう
見切るまで立とう　そして去ろう

愚痴口々にぐちゃぐちゃにチャック

ドライフラワー

おお　出来かけの是
又　放題は例外
近頃では見ない　見えない
目玉だったか　ダラダッタッタ
ピッタンコ　当てはまる
空に影のおかげ
きっかけはもう　倍の倍
ガチャバイ！　ガチャバイ！
空中散開　回転する旅客機
眺め　諦めかけたその時
ハッ！と　頭新しく
突き刺さる眩しい閃光
サンキューと照明

1

眼力力入る
正面
正念インザハウス
カモメはカモメ
眼の前通り過ぎる車
何台も　何台も　何台も

何回も何回も何題も
目前過ぎ行く車
あの名前忘れたラップ
チョップ　断続で聴く人々
それぞれ　持ち　待ち
歩き　運ぶ　足に格言の粉
あなた方と共生を！と
共用を希望
午前正午午後
正午を拡げるラジオの時報

鉄道の方はサイレンが空に叫ぶ
昨日も一緒
一生に実証可能なのは数々の粉の中

居る　間に　出来上がるかな
居る　間に　出来上がるかもな

百億世帯分の一やって
願ってもないチャンスととる
あいまいな交代時間しか
聞かなかった事を
後悔してる
3分間のポップソングを頭の中で
3回歌って9分と　時間潰して
何かの最中　気がつけば

1

もうこんなって　それを想うも
気がつきすぎ　チラチラと
故未だ未だ先
取る楽しみは取る　手に取る様分かる

居る　間に　出来上がるかな
居る　間に　出来上がるかもな

何時？
夏　熱い鉄板の上に濡れた葉っぱを乗せて乾くのを待っている
目の前を通り過ぎる車　カウンターに待っている間に出来上がる花は

ドライフラワー

始業　終業　企業　専業

緻密に詰めても　割り切れぬ影
一回理解しかけたと
言いたい放題　ホラ吹く風
鐘突き　餅突き　羽根突き　墨塗り
住み着く乱暴さに慣れ
日めくりカレンダーは減りますが
日増しに伸びる　楕円の背骨
打ち解けぬ人通り　一方解ける氷
もっと飛ばせば解けない氷在り
やっぱり何処かで聞いたような拘り
一握り　粉々に　再び快眠

居る　間に　出来上がるかな
居る　間に　出来上がるかもな

こだまにめだま

何だか今日は空が五月蝿い
ビルの向こうの声が鋭い
ビビッドな情が高ぶって
飛んで跳ねて角を作る
暗がりの中で闇雲に
書き殴っていた革命家が
看板を挙げて今日も
歓声を上げて飲まれて行く

何百回と度重なり
準えている口癖は
力み痛みも無神経に

関心も抱かぬ歴史に成る

何万回も歯に挟まり
詰って出ない口笛は
色味澱み腐って行き
半信半疑で保留する

道路の窪みに埋まっている
熱を持たないパチンコ玉
摘まんで握って開けると
太陽に当たり光出す
魚眼で写るその玉に
張り付いて見える嘘景色
摘まんで握って見上げると
太陽と面と向かっちゃう

何百回と度重なり
準えている口癖は
力み痛みも無神経に
関心も抱かぬ歴史に成る

何万回も歯に挟まり
詰って出ない口笛は
色味澱み腐って行き
半信半疑で保留する

って、おい。

全く。

あらまあ

絵心が一つ誘惑を
安定のしない提案を
脳裏に瞬時に焼き付けて
後々楽しませてしまう
無礼講の名のピストンを
伺いながら弄り合い
だんだん速度が上がるのを
人事の様に振り返る

ばいばい

薄らと張り切ってしまう
区切りを付けず力んでしまう、と
方々止まぬ念仏に
流石の馬も傾けた

どういう気にもならないが
関わらない訳にも行かず
見通した風な微笑で
相手の肩を押してしまう

責任は何時も重体で渋滞

はいはい

未だ、知り染めし岐路に

プラットホームに投げ込まれた煙草がレールの隙間で狼煙上げる
トンネルの奥、待ち草臥れた明りが

近づき
過ぎ
足元で止まる
ドア開く
体一つ
遮らず乗り込め
窓にもたれて
見つめて

見慣れた景色のモノトーン

1

レールに轢かせ亡くした後
睫毛の上に圧し掛かり
目蓋で支える感傷の眼孔は
「あ、遠く忘れていた」
景色を見た途端に溢れた
つまらない再現を際限無く
見切れない視線憶えていた
未来の自分に押しつけて
閉まらなくなった引き出しに
詰っている未完のジオラマ
戸惑っている、あの時のまま

架け橋の向こうも変わりなく
見え透いた嘘の白線が
その先の闇まで伸びていて
振り切れず飲まれてしまう前

どうにか

今

動揺せず面と向かって
どうか　永遠に経験を！

罪悪感すら感じてしまう
青々とした空　目を伏せる
夕立が来て助かって
立ち止まる言い訳を一つ得る
この次、靴繰り出す方
決まった途端調子良く
叩いていた雨ピタリと止み
喧騒と雑踏に紛れ込み

歩いて　躓いて　振り向いて　戸惑って
不確かな明日に下した決断を断じて
不確かな明日に下した決断を信じて

未完のまま置き去りにされたジオラマの中に立ち入って
あなたが諦めた景色を
あなたが諦めた意識を

今

私は追って見ている
あなたになって見つめている

薄暗い夕暮れの雲は今も赤み帯びて太陽引きずる
何れは夜に飲まれるから最後まで見届けるから

歩いて　躓いて　振り向いて　戸惑って
歩いて　躓いて　振り向いて　戸惑ったら　歩いて

1

トリミング

だから
それは
滅多に見せない仕草
絶対使わない言い草
一回だけちらつかせた
きっと何時も隠して来た
「失敗したく無いから・・・」と指先で空に書いたけど
反対から読む私は、裏に希望有る証拠でしょ、と
喉まで出たから風に任せ
あなたの片方の肩の臆病を弾こうと
揺さぶって突っついて押し出せば
落ち着いて此方には振り向かず気を取られ
たらたらと道草を食いながら上向きで歩いていける

さっきまで引きずっていた爪先が草を跨ぐ
赤く腫れた目蓋の中が青く晴れた空を見つめ
「泣いて無いです」と、言ったから
緩んで潤んだ水面は最後の滴が静かに落ち
蒸気となって雲に交わる
常に胸に秘めていた
既に蓋を閉じていた
輪郭線だけの風景画
運命が自然と色を灯す
強気の瞬きが次々と景色のコマを進めていく

見せておきたい景色がずっと募って
写真じゃ切り取り切れないから
話せば白々しくなるから
連れて行きたい気持ちになります

1

直ぐにも影響受けやすくて
気付けばコロコロと変わって
一人で部屋で演じている
外では着れぬ服を着ている

些細な振る舞いから勝手に自分の潮時を読み取り
記憶に居られなくなって切られる前に逃げていく
転々と人の波を移り住む居候は外から新鮮な空気を与えるのは当然だが
年輪を増やそうとせず
落ち着かず、落ち着かせず
押したり引いたりを繰り返し
常に駈け引きを求める割りに
割の合わない年輪
大きな世話で付いて回る
恐る恐る腰を下ろす
だけども支えている片腕
是で、是で最後かと

是で、是で最後かもと
脅しは体に告げている
だけども支えている片腕を
見てられない人がいて
見慣れてた人がいて
見破っている人がいて
見送っている人がいる

囁き秘めると甘くなるから、だから成るべく吐き出して
何時しか感受の強さに耐えられなく成る前に

見せておきたい景色がずっと募って
写真じゃ切り取り切れないから
話せば白々しくなるから
連れて行きたい気持ちになります

元気でやってるのかい？

ややあ
行くぞ
迷っていた体を
かかとが持ち上げて
走って向かって近づいていけば
あっちゅうま
体験がしたくて
神経がみなぎる
そわそわしてみぶるいしてきた
だんだんとリズムを刻んで一体感
そうそうないむきだしのきみの
ダンスがはじまったら
思わず笑っちゃうなあ

あいつもこいつも
そいつもどいつも
踊れ
おかしな格好でも
リズム感が無くても
女にもてなくても
男にもてなくても
どうでもいいって面倒くさい事
一旦忘れて大丈夫
お祭り

楽しかったこのひと時も今から過去へと流れゆく
やるせなくなったら思い出せ
そうだ！
忘れかけていた記憶の中であの時流れていたメロディーを！

うたに込めた思い出一つ胸の中で弾けろ

元気でやってるのかい？
一体どうしてるんだい？
調子はどうなんだよ？
そちらの
天気は晴れてるのかい？
うまいことやってるのかい？
うまいもん食ってるのかい？
睡眠時間は？
生活出来ているのかい？
お風呂入ってるのかい？
野菜は足りてるのかい？
仕事は順調？
どっかへ遊びに行った？
ストレス発散出来てる？
大丈夫？

そうか
まあ、なんだ
なんちゅうか
あんまりな
無理すんな
案外、くさるから心配なんだ
うたに込めた思い出一つ胸の中で弾けろ！

1

カレーパーティー

牛肉切るのめんどくさい
野菜を切るのめんどくさい
たまねぎ切るのめんどくさい
涙が出てめんどくさい

米をとぐのめんどくさい
米を炊くのめんどくさい
肉炒めるのめんどくさい
野菜炒めてめんどくさい

たまねぎなんかめんどくさい
きつね色までめんどくさい
鍋に移すのめんどくさい

水入れるのめんどくさい

煮ていくのがめんどくさい
あくを取るのめんどくさい
ルーを溶かしてめんどくさい
カレーが出来てめんどくさい

めんどくさい　めんどくさい　カレーパーティーめんどくさい

めんどくさい　めんどくさい　友達来るのめんどくさい

部屋に入れるのめんどくさい
がやがやしてめんどくさい
くつろがせるのめんどくさい
慌ただしくてめんどくさい

ごはんよそうのめんどくさい
カレーかけるのめんどくさい
カレー渡してめんどくさい
人数分がめんどくさい

みんなで食べてめんどくさい
うまいかどうかめんどくさい
飲み物倒しめんどくさい
フキンで拭くのめんどくさい

食べ終るとめんどくさい
灰皿出してめんどくさい
酒飲み出してめんどくさい
酔っぱらってめんどくさい

めんどくさい　めんどくさい　カレーパーティーめんどくさい

めんどくさい　めんどくさい　友達が来てめんどくさい

声がでかくてめんどくさい
酒をこぼしてめんどくさい
部屋煙たくてめんどくさい
トイレ教えてめんどくさい

話を聞くのめんどくさい
オチまで聞くのめんどくさい
ぐち聞かされてめんどくさい
自慢されてめんどくさい

ゲームするのめんどくさい
説明するのめんどくさい
先輩づらがめんどくさい
後輩づらもめんどくさい

顔見てるのもめんどくさい
顔見られてもめんどくさい
時間がたってめんどくさい
いま目の前がめんどくさい

めんどくさい　めんどくさい　カレーパーティーめんどくさい
めんどくさい　めんどくさい　友達来るのめんどくさい

皿洗うのがめんどくさい
こびりついてめんどくさい
思い出してもめんどくさい
思い出出来てめんどくさい

さよならに飛び乗れ

夜空に輝くつぶらな飛行機
いま、誰かが何処かへとんでゆく
見えなくなるまで眺めてうらやんだ
何時かきっと、ここから遠くへ

イライラしている気持ちを
しらじらしい笑い声に
忍ばせ吐き出してみても
波打ちそのままにごって
頭の外によけていた
怖くて見れない弱気が
寄せては帰ってまた来て
たまらず溜息がもれる

1

前を走ってるやつらと
停滞しているやつらと
錯覚しているやつらを
肌で何となく感じて
今すぐどうにかしたくて
今ある立場が散らかる
それにも気づいているから
焦る自分をこらえてる

何でも無い様な事が
幸せだったらいいけど
何でも無い様な事も
気にかけ不安に押されて
過信や探りや妬みの
飛び交う含みに呆れて
くたびれながらも探して

さよならを思い出してた

根拠の無いプライドは
時折足元を揺すり
エゴから作ったリングで
勝手な試合を運ぶ
一人相撲に明け暮れて
途方にくれて隠れても
それでもどうにも出来ない
いきたい気持ちがあるなら

うつりゆく心の
景色をかみしめ
覚悟を描いて
目の前に写せば
しずかに動き出し
明日を追いかける

1

あなたが見つめた
さよならに飛び乗れ

かわりたいと思ったり
かわれないと焦ったり
かわらないと言われたり
かわったからと言われたり
かかわりたいと動いたり
かかわらないと避けたり
かなえたいと願ったり
かなわないと諦めたりと

感じてしまう心に
からだがついていかなくて
考えられなくなって
固まって狭くなっても

よせてはかえってまたきて
ふるえる意識があるから
それでもどうにも出来ない
いきたい気持ちがあるなら

うつりゆく心の
景色をかみしめ
覚悟を描いて
目の前に写せば
しずかに動き出し
明日を追いかける
あなたが見つめた
さよならに飛び乗れ

たれそかれ

夕暮れもたれたバスの中
よごれた窓を眺めながら
はじめて今ふと思った
まわりも俺も年をとった

いままで感じなかった事や
いままで考えなかった事
これまで知らなかった事や
これから知る様になる事

明るい話題や暗い話
他人事ではすまない時
いろいろ突然やってきて

憶えて忘れて過ぎてゆき

思い出せることもあれば
忘れてしまう記憶もある
目のまえぼんやり眺めてる
流れるこの景色のように

乾いた山を通りすぎて
古びた家を通りすぎて
拓けた街を通りすぎて
脈打つ海を通りすぎる

夕暮れをにじませながら
よごれた窓のその向こうは
ゆっくりと輪郭を消して
夜の時間をうつしていく

山の向こうで明かりを灯す
名前も知らないあの街にも
知らない人がいきていて
おんなじように帰るんだろう

もうすぐ東京にたどりつく
きらめくネオンがみえてくる
ひとびとの生活を照らす
やさしい明かりのメロディーがうたうように

たそがれ時にふと思った
年をとったと感じたこと
あしたになればすっかりと
忘れてしまっていくんだろう

もしかするとまたどっかで
こういう事を考えて
今日みた街のあかりも
思い出せるのがあるかも

明かりの数ほどひとが住み
誰かの行く先を照らしたり
今いる場所を示していたり
ひとの数だけもとめるだろう

これから東京をあるいてく
きらめくネオンの下を
ひとびとの生活を照らす
やさしい街の明かりがなごむように

HELLO MELLOW

うおい
こちら聞こえる?
応答、口頭で願える?
ではでは送るのはエール
セールじゃない一回だけの呼び声は
テレパシーでは心配
だって失敗したくない

閉じてるまぶた開けば
一瞬だけの第一歩
大きく深呼吸
小さくOK
それでは聴いて頂戴

HELLO MELLOW

昨日の晩から気になってた
言おうとしてたら逃しててさ
未だもしかしたら間に合うかな
君に届けたいんだ

もう
まいちゃってるのが恥ずかしいくらい
ありがちだけど難しい問題
どうだい？土台無理とも決められない
話題は甘い？それとも辛い？

このひとときだけで酔ってたい
もったいぶってたいなんてない
くらくらしてるのしゃきっとしたくて

ばんばんぶつけてこう！
そのうち

うんだらこんだらは盲目って余計なお世話
うっせーな彗星は一瞬だけ
だから何時もみたいにバイバイじゃない。
から
踏み出し口ひらいた

言い忘れてた
ありがとうって
君に

うん、じゃなくて

いや、まだ早い

ありがとうって何？
確かに気持ちはそう

だけど

知りあえた事が嬉しくて君に

だから

前後おかしいが
ありがとう
とか
とんちんかんに伝えたなら

何つったって突然の事
キョトンとされて汗ばむ男
踏んでく手順飛ばしての言葉は馴染まず

1

静けさをうみ

気まずくつまづきつま弾く指
さよならをひとつ合図にやり
息を切らしてそそくさと出た
角を曲がって止まって赤く

なってる顔をおさえて
一つ空気を吐いて
「落ち着け」諭す
言い聞かせるがそりゃまだ早い
多感な動悸でバスに乗る

夜のビルを眺めながら

いらちなバスにゆられながら

落ち込んだってしようがないじゃないか
ダサくて当然
だっておれは
「キミにメロメロ」
なんつったって
「つまり惚れてる」
歌っておくれよ君のメロウ
ハロー！ボクの伴奏で何度も！

そうさ、いいなあ！

何回でも言う
だっておれは
キミにメロメロ、イチコロさ
キミを転がる石ころさ
おれのメロディーはキミのタクトに
明るく鳴ったり、悲しく鳴る

つまり惚れてる１０００％
のぼせた恋のスーパー銭湯
汗をかいたり、頭冷やしたりの毎日

歌っておくれよ君のメロウ
ハロー！ボクの伴奏で何度も！
そうさ、いいなあ！

とらべるびぃつ

口ずさむ様にひそかに
きみに宛てて写真を撮る
どうでもないこの風景を
劇的にみせる腕も無いが
知らない街を歩いてると
めずらしい気持ちになって
感性のつぼみが開いて
気分をおさめてみたくなる

誰だってあるだろう
あとから恥かしくなる事
分かっているのにひょっとしてと
期待を込めて気持ちを込めた

誰だってあるだろう
今もう押さえられない鼓動
分かっちゃいるけど辞められなくて
気持ちを込めてうつしてみたが

たったいま、まさに今も
撮ったことは撮った写真と共に
つけくわえて送る言葉が
見当たらなくて迷ってるとこ
鉄は熱いうちに打てと言う
ことわざがひょいと背中押すが
いや、まて、まだ早い
まだ
良いのが撮れるのかもしれない
旅先で見るひとつひとつ
どれもこれも見新しくて

1

逸る気持ちぐっとおさえて
頭の中でスケッチを描く
きみ宛てに知らせたい事
こっちはいまやさしくなってる
もし
テンションギャップを感じても
旅先からだから許しておくれ

誰だってあるだろう
あとから恥かしくなる事
分かっているのにひょっとしてと
期待を込めて気持ちを込めた
誰だってあるだろう
今もう押さえられない鼓動

分かっちゃいるけど辞められなくて
気持ちを込めてうつしてきた

誰だってあるだろう

誰だってあるだろう!

2

emptyhours

かわす

かます

くらます

くらわす

と、

逃げては追い、ひらりと交わる言葉と響きの歪な日記
掻き消された残響の心境を滲ませた絵筆からは
淡くて乾かぬ筋を示し
見たくても掴み切れぬ輪郭線を期待に沿って、なぞっている。

挙動の不審な衝動を得る
行動と問答が交差する
本当は本当に混沌に見え
登場は表情を震わせる

澄ませば座れた椅子が一つ
壊せばこなれた地図が白く
絶対に漏らしたくない面影
絶対にぶらしたくない心得

今から、ここだけの話

見慣れて誤解した世界

瞬くと見違える

為に、溜めて。

現花

本当　。　？
少し火灯し　眼落とし
煙の香　嗅ぐ　呼吸
鼻に吸い付く
詰っている　奥　爪弾いて
ビーズ一つずつ
連なり　流れる　動きと唾液
気になっている窓　外　雨音
水滴は寄せ合って　重力で落ち
見え・・・無い
暗くて分からないが　あれは海

「の？」の仕組み　摘み取り

倍　倍　膨らむバッグに
再　サイの目にかけ
下車ですか？
足して引いたりしても
青年は牽制されても
計算抜きで　宣言に宣誓
が、以外が痛々しい
その小さい耳
染み付く様噛み付く
美しき茎の上に
息　そっと吹き込み

無論　無音なら口笛
風吹き　揺れ動き　踊り
揺さぶりは四季の色より
時々

2

間引き損ねて息吹き返した気持ち
菱形のプリズムと重なり　上辺に
海月に疑われ　ならば　変われば　すれば
台詞と字幕がずれ始めないから
だから分かって
別れ間際まるで終戦
風船　偶然　電線に絡まり移らない絵

この滴だけ眼の中に
一滴だけを眼の中に
再開するまでの間
殺し続けて眼の中に

金庫破る　ダイヤル回す
慎重な手つきに似た手で涙拭き取る

それでも　頬伝う　謳う
冷静な犬の眼と眼　瞬き
羽ばたきはしない
未だ　待つ
久々の静止画には返事が
景色はベンチにジオラマで残し
無意識は宇宙
不注意からポケットで粉々にばら撒かれ
例えば　草花が疎らに焦げて散った地帯
蟻に眼をやり　そのまま見入って
夕暮れ
駅だけを堰き立て　見えぬ
描き貯めて　掻き立てる
古い建築　3段上のピアノ
絡まる蔦が喧騒を閉ざして
蓋する辛いスライド　でスカラ
座席は深く甘く赤く

2

箱が振動　チャイム　合図
どうする？
乗り込むのを待つまで時効へ

この滴だけ眼の中に
一滴だけを眼の中に
再開するまでの間
殺し続けて眼の中に

日向月

未だ真昼間なのに月を探して見上げて
どの時計を信じよう
この関係を閉じよう
もう幾つか靴を交互に出してから座って
なのに地面蹴る足音の速度聞くと
気が急いてしまいます。
ほら　今　部屋に居る時の様子　思い返して
だから　高々デカさ　中と外　違うだけ

曖昧にされている返事　もう要らない
頻繁に携帯も覗かないの

其れからは直ぐに

2

伸び上がる背筋は
此れからも　ずっと　影を伸ばします

未だ真昼間なのに部屋で明かりを点けて
物だけを捨てよう
場所空けると広そう
静かに息遣いする心使い　もう知らない
なのにポケット振動　ブルと鳴ると
気が滅入ってしまいます。
構いたくなる甘い感覚
笑い方を控えては無い

曖昧にされている返事　もう要らない
頻繁に携帯も覗かないの

其れからは直ぐに

伸び上がる背筋は
此れからも　ずっと　影を伸ばします

曖昧に晴れている天気も悪く無い
頻繁に悪態も吐かないの

其れからは直ぐに
伸び上がる背筋は
此れからも　ずっと　影を伸ばします

祈ります

Sleeping Beauty

未だ余り汚してない今日の服装に気付いて躊躇って
でも其処に固執すると窮屈でイライラするので
躊躇った時点の自分に見切り付けて
湿りと乾きが交差する緑の匂いが分かる頭の高さに身を置く。
2月なのに5月みたいな天候の時間の流れに浸れば
視界には認めざるを得ない目一杯の青空に
雲らしい雲と試し書きの様な透けた薄い雲が散らばり、
現実の安心感を保ちながら眺め続けてたら
風の音が聴こえ始め、耳に意識が行くと
右側の遠くから鉄橋を走る電車の音が大きく成って行き
足元から頭の向こうへと通り過ぎる。
鉄道に沿って社会を担う車も行き交い
鉄橋の下では、生活を営む感触がする。

ジョギングコースの向こうから犬を連れたトレーニングウェアがやって来る。
右頬に芝生の草の先が触れると捻っていた首の疲れに気付き
再び空に意識を戻し目をつぶると

古いトースターの中から飛び出せなかった思い出は
白昼、河川敷の芝生上で駆け巡る。

「チーン！！！！」

記憶の断片が、もう、勘弁って位に浮かんでは、ふわっと消える
椅子や地図やニスを塗った作品がチンガチンガちらつき始めて
感情が参上し退散、がジャンジャン発散し動いて乱れ煽る
動機息切れ眩暈が遠来、どうしようかと葛藤し発祥地踏み入れようか
物騒な残像がストロボでチンガチンガ点滅してアピールを始める
気付けそうで見つけそうで深く手を伸ばす　さっきまでは感じられたヒントピン
ボケに
ボケて溶けて解けてやり直す前に　せめて集めて組み立てかけた場所で
考察と捜索で中途をセーブ　パスワード刻み久しぶりに皮膚に光り与える世界へ

戻ろうと目を開けると白くなって行く。

古いトースターから飛び出たい思い出
白昼、河川敷、芝生上、駆け巡ってる。

ぐるぐるぐるぐるぐるぐるぐるぐる
ぐるぐるぐるぐるぐるぐるぐるぐる・・・

オーライ
オーライ
受け取るフライ

オーライ
オーライ
受け取るフライ

オーライ

オーライ
受け取るフライ
オーライ
オーライ
受け取るフライ

オーライ
オーライ
はい、此方です。

オーライ
オーライ
はい、此方です。

オーライ

オーライ
オーライ
オーライ

入っていく

あなた方の頭の中は昼だ

2月なのに5月みたいな時間に浸る
あなたの仰向けに寝転がった上を
鳥や雲や旅客機や鉄道や車や
カイトやボールや頭や体や腕や足や
ジョギングシューズやスパイクや犬や猫の生物が
24時間360度で過ぎり通り過ぎて行く
そんな楽しげな慌しげな青空を
バックにした一つの扉絵の景色が
記憶の隅で確かに存在したのを
見知っている事に今、気付いているのでしょうか?
あなたは。
あなたの彼方は。
あなたとあなたの狭間は。

えっと
再度先程をおさらいしてみようと
少しずつ一つずつ確認して行く
スローモーションが丁度良い位の動き
目で追いながら分からなかった、その当時の
感情の原因を引っ掛けようとしているのか
なぞる心象風景と今このスローな風景を
較べながら重ねれば徐々に迫る秘境
生まれながらやり過ごせば奥に溜まるいっそう
ずっと
ずっと
ずっと
ずっと

ずっと
ずっと
ずっと
ずっと
当て嵌めたい
ずっと
ずっと
ずっと
ずっと
ずっと
ずっと
ずっと
ずっと
当て嵌めてたいから
改めて温めて
温まない様に
温めて扱って

飽きて
ほうっておいて
そして
冷めて
醒めて
褪せて
馳せて
せめて
朽ち果て無いで欲しくて

何処かへ綺麗さっぱりに、やっぱりざっくりと仕舞い込みたくて
タッパーに詰めて保存する様に雑音に意識を傾け
転寝、目を瞑れば空からの視界現れ
だけども再び繋がりたくて
先程の景色の形思い出して
浮かべ、眺め、馴染めば、飽きて目を開けて
答え照らし、ぶらり出戻り、お帰り。

しかし、広過ぎる現実、戦く瞬間
途端
乾いたグランドに水が撒かれ始める
砂地に波が押し寄せ濡らし始める
湿って色濃くなった土の塊が
未だ未だ届く水に飲まれ散らばる
進み道をなぞる水は枝を別れて
絵の完成を告げる水が途絶えるのを待つ
足元から巻き上がる砂埃はやがて
収まる頃にはどれだけゲームルールを示すのか

白線は未だ残ってるだろうか？

白熱する時間から消えていくルールの結末は
ベースボール中のフットワークがカギを握る

手と手の間で飛び交うボールの行方の
コントローラーが欲しくて探して念じて
もしかすれば未だ眠っているかも知れない意識に
ぶつけて覚まそうと衝動が今日も
寄せては返して帰って行く
心の中、問い掛け追い駆ける

このまま未だ眠ってるだろうか？
このまま只眠ってたいだろうか？

もう、
始まってるのに　恥かいてるのに
交わってないのが間違ってるのに
感じ始めたければ　随時探り入れれば
ぐいぐいと奥に迫るパースがくっきりと

輪郭線迫りすっきりとは、なるが
目前のデーゲームに熱を上げる
そんな子供じみた時期が崩れ朽ちるかもと
意地らしい焦らしながらそそり、恐る恐る覗く
思い出せたのか潜在が当て嵌めたのか
スローモーションの回想で過ぎった人は
このまま未だ眠ってるだろうか？
このまま只眠ってたいだろうか？
このままずっと眠らせておいて
時々そっと、寝顔を覗いて
これから一生秘めて過ごすかもと、
目を閉じて白熱のデーゲームを記憶させせる。

Your shoe

扉から階下へ　行くとそこは最果て

目前の道路沿って右へ　十字路に出てまた右へ
右手には塾と美容室の入ったbuilding
pocketのなかearphone絡んでいりくんでる

再生するより記憶のなか鳴らしたほうがはやい
赤い空も青い空もAlpesのむこう
そう、asphaltを鏡でうつしたような天気はいつも頭上
目前の十字路四車線
北上すれば山を蛇行
南下すれば駅前を逃避行

気丈にふるまうが無理だろう
君は言語に圧し潰されてる
あくまでいいとはいいきれないといいかねないというい いように
いいようにふりまわされている

「How old are you?」

こんな質問をしてくる口元を想像して足もとがとまる
どうしよう? 北上するか? 南下するか?
難解だろう
何回でも声かけておいかけてくる
生真面目さの奥で血走っている狂気をふりはらうには
東を見て来た道を辿ってもう一度家に帰ればいい
一度逃げて扉を閉めて秘めている優しさで自分を寝かしつける
近くにいる人を忘れ、遠くにいる人を想像してみる

そこへいくにはどうすればよいか？　検索してみる

まもってくれる

きみが大切にしてる孤独がきみの個性となってまもってくれる
きみの過ごした退屈な時間が大切な時間となってすくってくれる
くとつがいれかわれば見違えただろう
靴がみえただろう　地図が描けただろう

瞬きするたび　瞬きするたび　空になる
瞬きするたび　瞬きするたび　生まれかわる
瞬きすれば空になり靴をはく

Under The No Sun

A morning
おはよう、と空から脅す太陽おがんでる？
けどそれ紛い
辛い？
でもしようがない
やってきみの半径１００m誰もそれ知らないしそれしか知りたくもないしって
知って誰が得するんだって？って
あ、でたまた損得勘定の話
悲しい？
うん、一度信じてた場所の中心に文字通り円があった
眩しそう見上げ喋ってた
まるで赤ん坊を眺めあやすように
希望と信じてる

2

信念だと聞いて話してたが通じない
そりゃそう皆円の村でぐるぐる踊り狂ってる
おれはとくとくと人間をみせるがきみはなみなみと損得を注ぐ
それだけ
これだけみせても通じないならこれが最後の朝
まさかそのまさかの朝
まさかその目その手その胸に抱いた行方に
それを伝えるんじゃないだろうと思っても無駄
メビウスの輪のついた籠の鳥
いつまでたってもであわぬ
であうことない円のなか踊ってる
戸惑っても忘れて
足手まといならぬよう踊ってる

泣いて泣いて泣いて泣いてみてもはじまらないからはやくこい
こっち

butterになる前に

そこは天国かい？地獄しか知らぬものの天国かい
間縫って
わけいってわけいってわけいって
ひとの隙間空いた席探してるきみよ

come here
butterになる前に

そんな滑稽な
おがんでる
あの空から脅す太陽をおがんでる

romaticな話がしたいのに
romanticな話の前にいつもふりかかる悪魔

Lip Sync

立ちどまる唇の行方
苦いかぜが枯葉にのせたあの声
とけてなくなりそう
思い焦がれた気持ちの分岐器に
はこばれ迷いこむ

曇天のひとみに飛んで火にいることばこまぎれで
まるでshredderで消されてしまう痛みに目を閉じた途端、　きみの番
それからの記憶はあやふやで
とめどなくあふれくたくたに
おぼえているのは喧騒んなかおたがいが答えに目をふせ
無理だとわかってるあたまんなか濁った色彩が思惟をつぶす
よごれた赤い信号　よからぬ鼓動

おいかける夜　問いかける足
くすぶる声　聞こえるまで
慄く思い遠のくまで
ことばを探すふたり幾夜も灯してすごして

立ちどまる唇の行方
苦いかぜが枯葉にのせたあの声
とけてなくなりそう思い焦がれた気持ちの分岐器に
はこばれ迷いこむ

Oyasumi

おやすみ
やりすごすために壁にたてた枕
おやすみ
暗闇のなかで冴えたあたま
おやすみ
読みきれず半ば絶えた物語
おやすみ
つかみかけた答えの尻尾
おやすみ
循環する被害妄想
おやすみ
うずくまってる恋心
おやすみ

今にきづくあとの祭り
おやすみなさい

あしたにはなにも求めずに
おやすみ

おやすみ
いうことをきかぬ水道の蛇口
おやすみ
あの冷蔵庫のnoiseに
おやすみ
話し相手で聞き上手な自分に
おやすみ
唐突にひらめき驚く自分に

おやすみ
おそろしく静かな闇に
おやすみ
友達のようなこの闇に
おやすみ
どうしても歩むこの足に
おやすみ
あきもせず息むこのばかに
おやすみ、な、さい

あしたにはなにも求めずに
おやすみ

3

ハイチェック

ハイ！そうなんだ
嗚呼！そうなんか
ペダル漕ぐ速度早くなる
どのアングルで見ようかな

朝のテレビ科学で花の蕾開く所早送りで見てたら
にっちもさっちも行かんくなって外に出た
時間が無くて忘れてた
所々
潜水から浮き上がると飛び込むざわめきに残響感
洗面器に浮かんでいるふやけて膨らむゴムのトイっぽい
皮膚の感情で天井に目をやるとフワリ
仰向けに寝ころぶと呼吸のせいで波に揺られる

鍵盤をなぞる様な動きのカーテンから風を感じ
窓から唯一見える雲が徐々に徐々に逃げていく
始めと終わりの境界線も徐々に逃げていく

カレンダーさえ捲れば
時間旅行も可能なこと
本当驚くやろう
玄人も苦労して発見して体験

試験から危険で試練が待ってて
未練がましくも事前に試運転
嗚呼、もう一回
もう、もう良いかい?
ハイ!チェック終了
Rec Onで弁論
ペダル漕ぐ速度早くなる
ペダルに足が追いかけられて

カチカチ山の自転車操業
兎にも角にも
太陽が昇りきる前に

思わず曲がるときに手を水平にスイーッと
ほんじゃ！

レールのその向こう

この独りきりのままで
孤独は好き嫌いなく常に
語り出すとガタゴトと嫌な音がする各駅停車に
急かされて
しがらみで
苛立って
平たい手うって気取るのも
悪くも有り
軽く積もり
丸く収まり

何時か溜まって
静かに黙って

絡んで往かないで
咳き込んで諦めて

履き違った足元は　慌てている充分な証拠
先走った泣き言は　怠けている充分な証拠

今日この頃どころかこれからも較べてもそれだけは真似しない

なみだの色

涙は何故だか色はなく
何かが流されていったのかな

お店の前で母親にぐずり濡らす
あの子の赤い頬
夕焼けも赤く
涙染めて
足を止めた
うつる空が心つれて行く

昼間、澱んでた失敗も
あの子の涙が
水に流してくれたよ

空の色に寄りそって帰ろうかな

あの子のあの頃

夜の表情探す何処?
夜も色濃く残る頃

歩道橋の下、鉄道
まるで軌道沿う惑星
すれ違い
ロマンチックに眺めたい
って
騒ぐ胸に踊るくちびる
ざわつけば
ときめきが久々にからかう

いっこうに見せた事の無い

一方的な訪れは
近頃珍しい事ですね
変ね
戻って来れるとすれば
二十歳的な立ち振る舞いで
すらりとかわしてゆく

あの日の行方は
忘れた訳無いから
思い出して笑って
話してみても大丈夫
冗談みたいなホントかどうか
尾ひれのついた話です
あの子のあの頃の様な

救急車
ドップラー

高ぶるわ
今日な一大事は過ぎ行く薄情な平常心
喧騒終えた空き地には
残る水道の蛇口が
短い間で降板のヒロイン
ゆっくり蛇口に口を近づけ
飲みほしてすすり泣き
舌をゆすぐ

裸足の生の足跡
探したく無い足音
屈んで拾う傷跡
憶えています先程

この後

近所のボクにも読めぬ結末

願う切実な筆圧がくつがえすのを見守る

夜も、　もう遠く　戻る何処へ？

夜も、　もう遠く　戻る鼓動

Lovers Rock

愛したい気持ちが
愛されたい気持ちを
追い越して
つらい日々になってしまっているのです

愛されたい気持ちが
愛したい気持ちを
追い越して
わがままになってしまっているのです

何時になくあなたが見えなくて
さびしくて　悲しくて　電話を切った
眺めていると思い出したの

優しさを分け合った　あの頃のふたりを

愛したい気持ちと
愛されたい気持ちが
追いかけあって戸惑い
確かめあっているのです

いつの日かあなたがかけてくれた
励まして踏み出して歩んできて
いまも欲しがっているけど
繰り返すとなれて甘えてしまうのが
怖くて

愛したい気持ちと
愛されたい気持ちが
追いかけあって戸惑い

確かめあっていきたくて
転がりあっているその先
手をさしのべて
あなた

絵空葉書

存分にぼんやり
とっくの昔に

背もたれに委ねる
手掛けてる絵空は
捻られて秘められ
人知れず嵩張る
儚く空回る
何気なく淡い
裁縫道具で開放を織り込む
清書の途中の原稿に取り次ぐ
「取り急ぎ」とだけ配置
文字で急いてみても

見慣れすぎた景色が
日暮れても返事が
天気が
免疫が
任期が
負けん気が

えっと
忘れてしまいそうな

存分にぼんやり
とっくの昔に

増えていく辞書に沿って
減っていく緊張
感傷もともすれば
環境に促され

呆れても無いのに
欠伸で開けた口の御陰でモノも言えぬのが良かったから

えっと
忘れてしまいたくなる

存分にぼんやり
とっくの昔に
忘れてしまった筈なのに

いい時間

ふいに何故か今訪れた
そんな空気が今流れた
誰かを感じながら眺めた
優しさが胸の中暴れた

この時間のせい？
この天気のせい？
この景色のせい？
この年齢のせい？

涙隠しながらにやけた
言葉を探してつまった
息を深くすいこんだ音

誰にも見られたくなかった

途端に急に喉が渇いて
ぬるくなったお茶を飲んだ
その時ちょうど目が合って
鼻をすすりながら笑った

この時間のせい？
この天気のせい？
この景色のせい？
この年齢のせい？

訪れた今、いい時間
久々の、いい時間

訪れた今、いい時間
もしかして今、いい時間

何も浮かば無かったからって
何もしてない訳でも無くて
何も言う事が無いくらいに
何でも無い時間が素敵で

誰でも忘れられ無くって
だけども何時も覚えて無くて
だけどふとしたきっかけで
ゆるやかな今が流れる

この時間のせい？
この天気のせい？
この景色のせい？
この年齢のせい？

訪れた今、いい時間
久々の、いい時間
訪れた今、いい時間
もしかして今、いい時間

何故だか忘れてた思い出
何故だか捨てきれない強がり
何故だか今同時に浮かんで
何故だかふわりと軽くなった

そんな空気につつまれながら
ただそれが過ぎるのも分かった
終わりを感じながら眺めて

お腹が空いた事に気づいた

この時間のせい？
この天気のせい？
この景色のせい？
この年齢のせい？

訪れた今、いい時間
久々の、いい時間

訪れた今、いい時間
もしかして今、いい時間

訪れた今、いい時間
久々の、いい時間

訪れた今、いい時間

もしかして今、いい時間

なんともまぁ　なんだかなあ

小さな子供が歩いて
右手の小枝を振り回す
綺麗な小鳥を見つけて追う
危ない足取りでふらふらと

なあ、なあ、ぼうず
見上げてばかりじゃ危ない
君の足もとが留守になる
それじゃあ誰かにやられちゃう

おれは知ってる
おれでもそれに届かない
ましてや君に何も出来ない

可愛そうだがあきらめな

そうらつまづいた
おれがまじないを唱えてやるから

「なんともまあ　なんだかなあ」

膝すりむいても泣くんじゃない
涙は流すとクセになる
綺麗だ、だからあきらな
遠いお空で歌わせときな

泣くな、そんな事でと
心配しだしたその時
ちびちび泣いて倒れてる
きみのあたまに飛び降りた

綺麗な小鳥が見事に
ぼうずの頭で落ち着いてる！
あらまあそんな事もあるか！
おれの概念もまた変わる

信じられない光景に
心踊らせ眺めてたら

「なんともまあ　なんだかなあ」

ぼうずはずっと起き上がらない
と、いうより起き上がれない
頭をあげれば逃げてく
君のもとから去ってく

なんともまあ困った状態
いかんともしがたい状態

それが可笑しくてめんこい
まるで滑稽なショータイム

どうするんだ？さあどうなる？
とうの昔に泣き止んだ
ぼうずはだまって待ってる
可愛い頭で考え

小さな両手が動き出す
ゆっくり頭の方へと！そして

「なんともまあ　なんだかなあ」

幼い両手はもがいた
空を掴もうとあがいた
もちろんそれは颯爽と
頭を蹴って東へ

ぼうずはしれっと起き上がる
ぼうっとした後見回す
あたり眺めてかまわず
大声でワッと笑い出す

東へゆっくり歩き出す
ぼうずのペースで繰りだす
右手の小枝を振り回す
おれは自分を見つめだす

おれはこの後どれくらい
この場所で生きてられんだろうか
「なんともまあ　なんだかなあ」
うすれる意識で思った

ここにも鳥が来るだろう
おれの頭にも止まるだろう
カラスが沢山来るだろう
カラスも良く見りゃ綺麗さ

なあ、なあ、ぼうず
見上げてばかりじゃ危ない
君の足もとが留守になる
それじゃあ誰かにやられちゃう

もし、つまづいたとして
膝すりむいても泣くんじゃないよ
涙は流すとクセになる
それじゃあ誰かにやられちゃう

おれはこの後どれくらい
この場所に残ってるんだろうか
「なんともまあ　なんだかなあ」
なんともまあ　なんだかなあ

野球盤のなか九つの一秒

投手
迫る。烏と鳩と老人の大群。
デジタルが駐在する区域に安住の地をもとめ顎を震わす難民。
夏蜜柑の唾液は口の中で憩うが、三日殿下のこうふくかぜが緊迫に覆われた。

捕手
すり硝子の向こうで漂白された炎天下、たゆたうシャツのようゆれる指先。
活力を生け捕った後、すり硝子のうぶ声を聴いていると夜の境目が手を招く。
手をふりはらうように、ミットを殴った。

一塁手
肉食動物の牙が白い肌に食い込んだ。スパイクとベース。
味見した後、ゆっくり本番を悦楽しようと舌を外す。靴下にしまう。

余韻。鍵っ子の余裕。帰巣本能の業。

二塁手
いじわるな悪戯の正当防衛に観念を溶かしながらこねる轆轤。
回転数にあわせくゆらす膝はストックしているアイデアの数をドルで勘定。
足下のお郷が知れぬよう砂埃を舞わせている。

遊撃手
長く細く整えたひげ。後程の残像をストロボで考察。
写真の確認。見出しの展開。
シルエットを追及した形状記憶女性とのタップダンス。

三塁手
ぐんぐんぐんぐん。グングングングン。
お前にくれてやる。お前が遊びつかれたころ、根こそぎ掘り起こしてやる。
おろかな元凶と血眼の情報に官能の根を奪われたお前には踏み込めない。

中翼手
百年後のアフリカ。総ての差し迫ったリズムをかき混ぜて種子に戻す。
蜃気楼のなかで切り裂かれた吹雪をあつめ地図を描く。
鼓動と血流の旋律が出発地点の嬌声をあげる。

左翼手
ただ、ただ、定時に帰す。
苦とも喜とも奇とも否とも触れず、ミニマルに殉職する。
死する直前仄かにパステルを放つ。

右翼手
模型。六十分の一の縮尺を愛でる。手袋をはめ硝子ケースから取り出す。
背中の螺子を巻き、床に耳をあて、振動を鼓膜で吸い取る。
そっと目を閉じ時間を巻き戻してゆく最中のまどろみを叩き起こす出会い頭。

一秒が破裂した。

わらって.net

脣かすかにふるわせ
戸惑う指先を迷わせる
下書きのなかでゆれてる
言葉それがいまの（わたしorあたし）
ってわたしかあたしか一人称
すらままならないよこの文章

嬉しい気持ちを表現すれば、
だれかに妬まれんじゃないかって

送信ボタン押せないわ
悲しい性ね
露骨なマイナス思考を（オーライ！）

わらって　わらってってば　お願いだから
頭ん中がんじがらめになってるわ
おお・・・！
救って　救ってってば　お願い
いつか更新してやるぜインターネット

1・2・3・4・

もうもうもうもうぜんぜん・・・
いやいや・・・そんな・・・と謙遜
しつつ、褒めあうライバル牽制
年齢詐称の変装
毎秒刻みの戦争

女子アピールしないとなって
手料理自慢してるひとや

泣いて甘えるうまいひとや
末っ子感が得意だとか

バカバカしいよさよーなら
競わされてる向こうがわに
きみの手をひいて連れだす
大きな呼吸つかみたくて

炎上している世界も
落書きみたいな世界も
こんなちっぽけなわたしが
幸せにすると考えてる

そう信じて　いるけれど
悲しい性ね
またまたマイナス思考が（オーライ！）

おそって　おそってくる　お願いだから
あっちにいってて人生かかってるんだから
おお・・・!
迷って　迷ってたけど　恥かく準備
好奇心とからだひとつで未来へ飛びだすんだから

わらって　わらってってば　お願いだから
きみの笑顔がみたくてここまできてるんだよ
そう・・・!
救って　救ってみせる　おまたせ
今から更新してやるぜインターネット

はじまりだよ

Myかわいい日常たち

ただいま！わたしの普通でかわいい日常たち
手のひらにおさまるほどのかわいい日常がはじまるわ

浮かれたあとのさみしい夜を
ベッドなかでこらえた朝
鏡の前むくんだ笑顔
絶望に添えるいじらしさ
すごいテキトーな朝ごはん
だってひとりだし
独り立ち
ぼーっとしてたら出かける時間
結局バタバタ
ドアを開けた

いつもの街いつも通りだけど
と言いつついつもと違う気持ち
胸いっぱいに吸いこんだのち
昨日と違う今日のはじまり
いつもの道
みなれた風景
いつものコンビニ
いつものバス
平凡だけどそれが素敵よ
恥ずかしながら帰ってきたわ

ただいま！わたしの普通でかわいい日常たち
ゆっくりと寄り添うようなやさしい日常をはじめるわ

さみしがり屋の波紋が
広がりおそってくる前に
ためいきひとつ飲みこんで
吐きだす愚痴をうたにかえて

背中を夕陽に追いぬかれて
夜が迫ってきたとしても
明日を恐れず覚悟決めて
さよならした足下をみた

忘れていたわたしのリズム
自分を守るわたしのリズム
流されないようからだで
拍子をとって流しつづける

アンドゥトロワ数えて
呼吸を乱さず踊るように

知りつくしたこの街で
わたしはわたしに帰ってゆくよ

ただいま！わたしの普通でかわいい日常たち
手のひらにおさまるほどのかわいい日常をつづける

ただいま！わたしの普通でかわいい生活たち
ゆっくりと寄り添うようなやさしい日常をいきてくわ

月下美人

まぶしいほどにきみは孤独さ
息をころして夜と踊ってる
楽しい記憶はいつも孤独さ
誰にも知られずにすぎてゆく
ひとりぼっちの帰り道は
音楽にいつも守られてる
NightingaleもJeanne d'Arcも
わたしを守ってくれなくって
迫りくるあしたの現実に　立ちむかうための休息を
どうか

まぶしいほどにきみは孤独さ
息もつかずに夜と踊ってる

楽しい記憶はいつも孤独さ
誰にもみせない顔で踊ってる
Moon Light
ひとりぼっちで眠るときも
音楽にいつも守られてる
NightingaleもJeanne d'Arcも
わたしが守ってあげるからねって

迫りくる雨の暗がりに
立ちむかうための月明かりよ
どうか
照らして
まぶしいほどにきみは孤独さ
息をのむほど夜に夢みてる
楽しい記憶はいつも 孤独さ
人知れず咲く花が夢みてる

Dream Baby Dream

のりこんでみたものの
飛べない宇宙船のように
ぼくら梯子外されたまま
のこされたかなしみを
拭い落とす言葉 飛び跳ねず 声に漏れる

湿り気からきみのなみだを 感じる世界は
まるで遠い惑星さ よどみ知らない怖いくらいの世界
月　明かり 照らす つま先に育つ未来

硬い 笑みと 高めあうときめきと
ジャスト　に巡るチャンスがラストステップだとすれば？
ダンスフロアへの地図を

あわててポケットからとりだす
くしゃくしゃになった絵空事
あやふやなんだきみへのパスポート
もうこんなにまで遠く
もうろくするほど孤独

空中遊泳する儚い気持ちは
人工衛星のようただきみの
まわりを空回りし続けた
　いつまでも

届くことのない絵葉書
真実の写らない手鏡
ふたりの気持ちが乱反射
ふりかえれば光は逃げてく

「途中下車できない時間では
伸ばした腕もブラックホールに飲まれ
いずれ消えてゆくふたりの
思い出が影を伸ばすからさ」

Dream Baby Dream　ダンスフロアへの地図は
Dream Baby Dream　きみとぼく互いの胸のなか
Dream Baby Dream　ふたつにやぶられたままで
Dream Baby Dream　あわすことなくさまよってる

Dream Baby Dream　儚い夜は

Dream Baby Dream　闇のなかへ
Dream Baby Dream　ラストステップを
Dream Baby Dream　取り戻すからと誓って

Don't Speculate

東京駅をぬけて横断歩道で足をとめ
夕闇と茜がマーブルに混じるあたりの下がそう、やっと帰れるきみの街で
でもいまこの場所はまだ曇天の空が濁り雨を降らしてる。
ふと上をみた。電柱が立ち、
電線を伝う雨粒が集まり大きくなって
重みに耐え切れずしなりをあげて落ちてゆく
そして
ひとつひとつその雨粒は傘をもたぬきみの髪をぬらした
堰をきって悲しみが降ってくる
雨にまみれた涙をごまかすよう拭ったきみは
雑踏のなかひとり自分にむけこの歌をくちずさんだ

そんなことはそんな言葉は
両親や教育者、誰から教わるわけでもなく
きみはきみの好きな歌から何度も呼びかけられてた
「頭んなかで袋小路にならないで」と。
でも
どんなときもどんなときでも
それがきみがきみらしく振舞えるわけなくて
すこしの躊躇が積み重なりつもりつもって
気づけば言葉も体も動かせなくなってる

いつしか友達家族恋人誰に伝えるべきか
わからない心象　胸に喉に詰まって吐けない感情
まるであの電線にのしかかってた雨粒のよう
集まり溜まって落ちそうだこぼれそうなんだって
分かってるけどだけど分かるだろそこから
抜けだすにはきっかけでかためた鍵と鍵穴が

必要なんだ、だから歩きつづけてるきみは
自分を守る言葉こめたこんな歌をくちずさんでるのさ

唇から離れた歌は
美しく凛としたテンポで
足取り支える魂に寄り添い
あぶなげなきみに飛びこむ

交差点のサファリパーク渡るとき
記憶を奪うネオンの下抜けるとき
視線が乱反射するバスから降りるときも
肱を伸ばし耳を開き世界みて

口ずさんでた歌に弾みつけた体が
少しづつ少しづつ泥を落として
膝を高くあげて軽やかにしたたかに

踊ってもないのにただ歩いているだけなのに
まるでバレエのようにさゴスペルのようにさ
みえたんだきみの姿が合わせ鏡の隙間から

さっきまできみが足をとめてた曇天の空が過去に
夕闇と茜まじるこの街に戻ったきみは

その過去をみて立ちどまり再び歩きだした
もうすぐ家に着く、ポケットの中の鍵を握り
背中まで迫った夜と必ず訪れる朝を見据えてまた歌って

小さな昨日　大きな明日

Gonna Rain

薄っぺらな靴底で跨いで
どしゃぶりのなかを
どしゃぶりのなかを走ってく
It's gonna rain for my birth day

作ってからくちびるで塞いで
閉じ込めたままの
閉じ込めたままの思い出

The Nap

午後2時の眠気甘いみかんみたいで顎が溶ける
のらりくらりしていると惚けたSunshineから天女泳いできて
文字言語できた思考を奪ってってってはとろけさせ
見たもの見たまま保存する
聴いた音聴いたまま焼きつける
The Napの神、Bebopではみだしては睡魔泳いでく
循環する生活がだらんと重力に抗わず草花の匂いに還ってく

Melting Time

The Story always over on the way

When does this story end?

ぴん

変わり目だね
昨日の朝はさ
鼻先がとても冷たかったのに
珍しい珍しく早く起きた君よりも
どうやら外の天気がいいからどうしよう、とか
うーん、ええと、うーん
午前中はだらだら相談して
昼ごはん食べにでかける
のがいいような
どこがいいだろう、とか
こうゆうのが幸福なのか、とか
こうゆう絵が幸福につながっていたのは
どこで得た幸福の擦り合わせだろうかって

「って」
これは陳腐なimageだろうか、とか
観念が溢れ出て巻かれてくと
君との現実から離れてく
「怖い途端怖い」
今日は天気がいいから情報を開けて得ない
相対性のあやとりで誰とも比べたくない
そう、誰とも比較せず
君がうけて僕がうけたのであれば
そこにふたりの独特なpinを立てて
独特な幸福の統計をとっていこう
そうしよう
まだ寝てるんかい君
天気誘うし
珍しく先に目が覚めて
curtain開けたい気がいま
「はじまる」

「はじまる」と唱えた
いま
静かに開けるcurtain
「どうせ殺風景でちっぽけな風景なんだ！この外は」

知ってるだろう

戻れない
小さな街が、小さな街のまま、古びてく
小さな街が、小さな街のまま、手のひらで老いて歳をとってく
「もう、そのまま、もう、このまま」
もうここにpinを立てることはできない
ではどこがいいだろうか、とか

Raw Town

丸の内中央口
雨のなか皇居方面へ
日比谷通り和田倉門
千代田線二重前駅の

6番口階段下って
改札からplatformに
「多摩急行小田急線の
唐木田行きに乗ってきて」って

うまいなあきみはさ
ぼくの気管すぐ乗っ取って
Saxみたい吹きこなし

喉から手出させる魔法で
こわいなあきみはさ
詰まれてる言葉に押させた
つかめない都会のさ
生のきみに会いにいくって

国会議事堂前駅下車
1番出口を上がって
茱萸坂左へ上る
総理官邸前右へ

246に沿ってゆく
国会図書館前交差点
右へ東京metro背に
「国会前Bus停で乗って」って

うまいなあきみはさ
ぼくの気管すぐ乗っ取って
Saxみたい吹きこなし
喉から手出させる魔法で

こわいなあきみはさ
詰まれてる言葉に押させた
つかめない都会のさ
生のきみに会いにいくって

平河町交差点を越え
麹町4丁目交差点越え
市ヶ谷橋渡り神田川
沿って外堀通り西

牛込柳町駅を越え
若松町交差点を越え
雨足も止まない鼓動も
近づいて近づいてだから

こわいなあ君はさ
ぼくの気管すぐ乗っ取って
Saxみたい吹きこなし
喉から手出させる魔法で

こわいなあ君がさ
詰まれてる言葉に押させた
つかめない都会のさ
生のきみに会いにいくって

Bite My Nails

ほつれた恋
捨てれないのは
ゆびさきの思い出すがって

ひなびた恋
拭えないのは
あしもとの泥に思い出がせがむから

くり返す朝
ふみだす
いま戻ることなどできない痛み

あなたは恋
圧してひそめて
ゆびさきの甘い思い出にすがるから
独りでに翳むから

口癖の夜
ふりきる
もう戻ることすらできない痛みを
ただれた恋
辿れないように
ゆびさきの甘い思い出をかみきった
盲目に翳むから

赤い涙に映る窓をあけて

You

「大概はね反対にね考えても
大体はね感じれてないことばかり
案外はね肝心なの単純でね
動悸のそのはじまりだけ信じて」ってさ

おそい僕を残した
mysteriousな呪文が
ほら
いまも
体のなかきょとんと
置いてけぼりくらって
ほら
いつも

涙のはて待たせた
言い訳たち塗られた
この動悸は
まるで
時化た
導火線みたいでさ

よそよそしく
たどたどしく
散らばってる
遠くにいて手をとれない言葉たち
本当はね足元では息苦しく
動悸のそのはじまりだけ待ちつづけているのさ

おそい僕を急かした
mysteriousな呪文が

ほら
いまは
体のなかすとんと
置いてけぼり気づいて
ほら
いまは

涙のはて待たせた
言い訳たち塗られたこの〝動悸〟は
まるで
あなた

孤独の先待たせた
mysteriousな呪文が
ほら
いまは
体のなかずしんと

置かれて先をみれば
ほら
あなた
さよならだけ残して
見はてぬ先をながめた
この動悸がまさに
あなた追いかけてゆくから

Neverland

さよならまた
ふりかえらない
ふりかえれない悲しみに

この日もまた
ふみとどまり
ふみこめない人熱

眺めるいま
ことばの海
鼻をそむけ
咳き込んだ

誰ひとりと
泳がぬ海
泳げぬ海
呑みこんだ

Neverland is dying

これからまた
筆をかさね
墨の上に
吹かす花

あの日の嘘
消せない場所で
声を濡らし叫んでもとどかない

Neverland is dying

朽ち果てるはやさ唇で悟る
また

Breezing

"Why are you freezing up?"

みしらぬ街にBreezing
みしらぬ顔にBreezing
みしらぬ味に瞳ふわりblow up
時計の針とけて

忘れゆくほどBreezing
夕立が去りBreezing
海ににじんで焦げついては消えて
落ちついたあと灯し

ほころぶ夜にBreezing

みなれぬ色に Breezing
口火をきると歌いはじめた your hurt
颪がくゆらす未来
みなれたくないから
吹かせて散らして

"Why are you freezing up?"

4

夜のライン

君が夜を呼べば
空に月が灯り
暗い夜の街で
耳を研ぎ澄ました

人をかき分けて
網をくぐり抜け
見果てぬその夢に
君の手を引いてく

Ride On

そうまさに

読みかけの小説を
目の前に広げた様
飛び出しそうな心
目と目を合わせながら

じれったい　見えっぱり
捨てたいと頷き
越えたい夜のライン
二人の足が

飛び越えて塗りかえた
足音を響かせて

Knock Out

「導いておくれ夜のライン」

まるで未来模様
ネオンもぎりとって
カラフルなデコレーション
二人照らしながら

とめないで　止まない
君とのスパーク
終わりなき夜のライン
二人の足が

翔け上がり飛んでいく
足音を捨て去って

Knock Out

サマータイマー

裸足のままで
熱い地面に
飛び上がる様
この場所へ
駆けて来い

君からもれる
体の呼吸
全て笑い声の様に見えた

ひらひらゆれる
シャツからのぞく
生きた素肌が

眩しくて見れないよ

どこに

いても

考えてる

辿り着いたら
ここで溶け合おう
甘い時間を掴み
キスをしよう

何時もなら
恥ずかしい時間が
二人に味方する

信じられない二人にサマータイマーは味方する
小さく弾んだ世界がテントのように広がって

飛び込んだ
僕らまきこんだ

二人が押した
サマータイマー
回ってる

いつまでも
終わりが来ないよう

目を瞑って

想ってキスをする
一心不乱に
信じて燃え上がる

二人が押した
サマータイマー
何時までもと信じて
ひとつの世界を見た

辿り着いたらここで溶け合おう

今まで経験した事無い
季節が目の前に迫ったら
慣れない手つきで受け止めな

全てを体に焼きつけろ
眩しい空が飛び交って
涼しい風がすり抜けば
広がる地平線を見てる
スローモーションな君に向けて

飛び込んだ
僕らをまきこんだ

二人が押した
サマータイマー
いまも
回ってる

いつまでも

終わりが来ないよう
見つめあって
叶った今が何時までも続くから

二人が押した
サマータイマー
何時までも

Skyper

あぁ、
泣き空を君が駆けてけば
虹を掲げに
さぁ、
降り出そう僕のスコール

あぁ、
青空を虹が架けてけば
君を眺めに
さぁ、
飛び出そう僕のスコープ

てりかえし
うつしだす
七色の彩りは
浮かれ咲き
乱れ落ち
僕達の街に届く

待ってたような気がする
かつてない事だから
待ってたこの街に
明後日が降りそそぐ

Gauge Song

降り出した雨が
建物を叩き
騒がしさを増して
音の壁を作る

その
静寂の最中
君は胸の中の
駅を僕に挿して
距離をからませる

気まぐれなほど
今にも走りそうな

二人だけのゲージ
向かったり
外れたり
行き交う

時折
夜を覗かせて
君はシルエットになる

その時
耳を澄ましても
僕の影はひとつだけ

そう、
降りだした雨が
再びからませる

二人だけのゲージ
向かったり
外れたり

気まぐれなほど
今にも走りそうな
二人だけのゲージ
向かったり
外れたり
行き交う

タイムリープでつかまえて

ベランダからよく見える
建設途中のビルは
反響して音を立て
胸を蒸し暑くする

ゆれ動く蜃気楼は
まるで今の心模様
目を閉じて思い出し
ぼくらは過去をたどる

あの日の1ページ
ふたりのストーリーは
お互いのノイズが邪魔で

フキダシが余白のままさ
そんな曖昧模糊じゃ
次のシーンめくっても
パラレルワールド生じ
ぼくらは離れてく

必死に記憶を掘り下げて
解像度上げていっても
あの時目を逸らしてて
真実が見えてこない

思い出は落書きの様
輪郭を捉えてるだけ
都合よく色づけされて
フィクションへと変わる前に

連なってる時間の扉
ひとつずつ急いで開けて
つながってるふたりの世界を
迷っているふたりが探す

きみとぼくが交わした言葉
その後に落とした涙
スローモーションその後を
つなぎ止めたい

ぼくらは時間かけぬけ
きみの心見つけないと
ふたりの未来は溶けて
ゆびの間通りすぎて消える

その前に

坂の上、落ちてく陽射し
見つめあったふたりはその後
うつむいてかわした言葉に
誤解がはらんでいる

懐かしいその町の
高い坂をぼくらは走る
ふたりの重い背中が
離れてく前に

ぼくらは声に出した
「きみの心広がれ」と
ふたりの手をつかみ
お互いを「離さないで」と

きみはきみをぬりかえ
ぼくはぼく、ぬりかえて
ふたりはただひとつを受け入れて

その先の落ちる陽射し眺めては
そのまま
ぼくらをつなぐ

冬の刹那

届かぬ距離を込めたあきらめを
マフラーで隠した唇が唱えれば
転がる時空の壁をすり抜けて
瞬間移動で僕は会いに行くよ

だなんて言葉の先に
君は魔法を見る程の日々さ

やるせない姿に手を伸ばし
君の刹那にテレポーテーションしても

僕らの
センチメンタルな強がりは

何時までも噛み合わず
何時もあと少しの所で
冬の寒空が巻き上げてゆくだけなんだ

君の心が
光の速さで
消える前に
僕は冬の刹那に
テレポーテーションして取り戻すのさ

うつろう季節の果てに火をつけて
遠く冷めた心を温めれば
二人の波長の先が紡がれて
瞬間移動で君に会いに行ける

だなんて言葉の先に
僕は魔法を見る程に今は
やるせない姿で手を伸ばし
君の刹那にテレポーテーションしても

僕らの
センチメンタルな強がりは
何時までも噛み合わず
何時もあと少しの所で
冬の寒空が巻き上げてゆくだけなんだ

遥かから
君の世界に現れて
抱きしめて触れ合っても
心が移っていれば
冬の寒空に消えてなくなるだけなんだ

君の心が
光の速さで
消える前に
僕は冬の刹那に
テレポーテーションして取り戻すのさ

きっと

R.E.C.O.R.D.

真夜中にふと、ひとり
君への思いに耽る

この先も君を幸せに出来るかと

二人が合わせた息の数を刻んだ深い溝に
そっと大切に針を落とせば
隠れてた君の魅力が鳴り出した

君を喜ばせる事を忘れず・・・

とてもシンプルな話だが
これが難しい目標なんだ

二人が重ねた年の数を刻んだ深い溝に
そっと大切に針を落とす事を
思い出し僕はレコード鳴らすのさ

君と笑い明かす日々を続ける・・・

とてもシンプルな話だが
これが難しい人生なんだ

空中分解するアイラビュー

最近はね、どうなんだろ?
きみの心読み込めなくて

頭ん中のハムスターが
ただ空回りしてるだけなんだ

浮かれちまった悲しみに
ぼくらの青春は一瞬でまみれた

来週のね、わかればなし
ぼくの誕生日も近いよね

恥ずかしげに手渡された

オーダーメイドの腕時計が
先週に部屋から消えたのは
こんなぼくらから逃げだしたのかもね

でもね今も未練がましくテレパス送ってるのさ

アイラビュー

それは
やっぱり
君にだけ知られずに
空中分解して風に溶けていくんだろう

そんなことわかっているくせに

「女々しさは焦る男の子の専売特許だ」ってきみは笑うんだろう

これからつのるこの想いはやがて詠み人知らずの詩となる

やるせないね

難解だね、わかればなし
ぼくもきみも強情だね

恋の果て、わかればなし
何億通りもあるのだろうねって

浮かれちまった悲しみは
ぼくらを呑み込み一瞬で冷ました

「あなたなら、わたしよりきっと
素敵な人と出会うから大丈夫よ」

って今言ったことばそっくりそのまま返すよ
きみの方が何倍も素敵だからさ
本当に

アイラビュー

ぼくら
やっぱり
戻ってもいずれはまた
空中分解して風に溶けていくんだろう
そんなことわかってるぼくをみて
「女々しさは焦る男の子の専売特許だ」ってきみは笑うんだろう

これからつのるこの想いは
やがて詠み人知らずの詩となる

なんて
そんな
ことは
我慢出来なくて

なんて気持ちよりも
きみの幸せを祈るよ

それくらいキザなセリフを
言わせるくらいきみは素敵だったと思いたいんだ

恨んでないといえばうそになるけど

さようなら

アイラビュー

これも詠み人知らずの詩となるだろう

IMAGINATION.oO

ワクワクすること
刺
激
的
キラキラとかすめた
したり顔の君が
僕のほうふりむいた

彼女のあたまのなかで
咲きほこる花園を
僕のあたまのなかに
送りこんでおくれよ!!!!!!

た
た
た、
たったふたりだけの
素
敵
な
景色を浮かべても
ま
わ
り
の
誰にも知れない
僕らの楽園は
彼女の愛にあふれた
色彩がのびあがって

僕のあたまのなかで
パレードをはじめてる！！！！！
(((IMAGINATION)))
は・じ・け・と・ん・だ・
(((IMAGINATION)))
わ・か・ち・あ・い・た・い・
ど・こ・で・も・
ふ・た・り・う・か・べ・た・ら

君が広げた海
そ

こ
へ
僕が浮かべた船
パ
ン
ニ
ン
グ
して
君が走る浜辺と
僕らを照らす太陽にRIDE ON

「殺風景だ」
交わす言葉のなかじゃ
僕ら遊びたりなくて
無限が広がる地図に

はしゃぐハート描いた
(((IMAGINATION)))
は・じ・け・と・ん・だ・
(((IMAGINATION)))
わ・か・ち・あ・い・た・い・
(((IMAGINATION)))
あ・ふ・れ・そ・う・だ・
(((IMAGINATION)))
そ・だ・て・あ・い・た・い・

み・ら・い・を・

僕らはうみだすのさ

イマジネーションの世界を
全ては始まるのさ
イマジネーションの楽園で

Neon Tetra

放課後のような街角を泳ぐ
ネオンテトラだろぼくらは
四、五年前なら語れた希望も
背広の前では儚げさ

にしても

ねたましいほどに気にしないきみはまだ
まっすぐ白いキャンバスに筆を走らせる

「芸術が人生にビジネスを迫ったらあなたはおりるべきよ」
とそんなことというなんて悲しいよ

きみはぼくがまるでメフィストと契約した
かのように冗談交じりで責め立てるけど

きみのその
瞳その口許に宿る美しさの前じゃ
誰だってすべてささげたくなるさ
きみの才能が愛しい

舞いあがる風に色彩の宇宙ちりばめ続けるあなたの姿こそ芸術さ

ぼくらは進むよ
法律にも詳しくなって

ぼくらはまるで

キャンバスを抱えた
ネオンテトラとパトロンのキャラバンさ
街角を泳いで

ぼくらは進むよ

きみはNew Age

あぶないほどに
はしゃいでるよ
ひらめきが
青い空もおどらせて
胸を鳴らしはじけた

陽射のように
照らしてるよ
微笑みが
白いヤミを吹き飛ばし
ときめく波が押しよせる

きみのNew Ageな魅力が

ぼくの心ぬりかえた
言葉が追いつけないほどの美しさで
まるで流星だ
燦然と一直線つらぬいた
あたらしい恋高まる世界へ

とまらない思い
勘違いの逃げ水も
蒸発させてしまうくらい
のぼせてるよ灼熱さ

いままでのパラダイム
プラスティックな戦略も
古い地図に変えてしまう
どきどきさせる天才さ

きみのNew Ageは魔法だ
ぼくの言葉うばったまま
常軌を狂わすほどの美しさで

ぼくは流星だ
騒然と一直線にきみの奥
あたらしい恋はぐくむ世界へ

ふたりをビートで

きみはNew Age
はじまりだ
ぼくの歴史ぬりかえた
時代が見惚れるほどの美しさで

ぼくら流星だ
猛然と一直線にかけぬけた

ふたりの未来あふるる世界へ

きみのNew Ageな魅力が
ぼくらのリズム育てた
いなせに季節をわたる麗らかさで

空を流星が超然と
ふたりのようかけぬけた
ピリオドのないかざあな世界へ

きみはNew Ageさ　きみだけに宿った
きみはNew Ageさ　きみだけが宿った

半径１ｍの夏

たらした汗も
溶けてくアイスクリームも
落ちてくぼくの心も
すべてきみの
半径１ｍで起きた夏の出来事さ

これから他人同士としてふたり
季節をこえるつよさ探さないと
給水塔の影のように長く遠く
きみがはなれてゆくから

もうふたりの足元から透けるように
半径１ｍの夏が消えてなくなった

4

そしてふたりはおたがいを知らころの
半径１ｍの夏を歩いた

Hocus Pocus

Hocus Pocus
さよならするなら
もう
沁みることばを投げあうのはやめておこうよ
センチメンタルなフレーズに
ぼくらはいつも弱いんだから

Hocus Pocus
さよならするなら
もう
沁みる傷口なめあうのはやめておこうよ
センチメンタルなフレーズは
ぼくらをつなぐ呪文なんだからさ

今日で何回目だよ
こんなムードになってるのは
「これだけは言わせて」と
それが口癖になってきてる

せっかくおしゃれにきめたのに
ふしぎなメロディたたき続けてるださいピアノマンとお別れの時間

Hocus Pocus
さよならするなら
もう
沁みることばを投げあうのはやめておこうよ
センチメンタルなフレーズに
ぼくらはいつも弱いんだから

Hocus Pocus

さよならするなら
もう
沁みる傷口なめあうのはやめておこうよ
センチメンタルなフレーズは
ぼくらをつなぐ呪文なんだからさ

けっきょくこたえをきめたのに
思い出にしがみいずれ崩れゆくたかいポン・デュ・ガールともお別れの時間

Hocus Pocus
さよならするなら
もう
沁みることばを投げあうのはやめておこうよ
センチメンタルなフレーズに
ぼくらはいつも弱いんだから

Hocus Pocus
さよならするなら
もう
沁みる傷口なめあうのはやめておこうよ
センチメンタルなフレーズは
ぼくらをつなぐ呪文なんだからさ

Siren Syrup

ダブついたままの青春がいつの日も恋を急かすから
齧りつきたいよ毒々しい甘い添加物のSyrupさえにも

Candy Says「刺激を荒だてて」

知覚過敏なきみの肌が赤い添加物を纏って
淡い邪な陽炎を砂嵐のなか躍らせた

「声も出せないほどの冷たい深海に連れこんで」

なんてさ

ぼくに言うなんてきみはいかれてる

ギラついた眼男がいつの日も恋を砕くから
現実に毎夜なぶられて甘い添加物に手をのばすきみは
Candy Says「一秒抱きしめて」
途端、ふたりの世界 砂嵐のなか躍りでた
声も出せないほどの力で背中から抱きしめたら
この気持ちきみに言うなんてぼくはいかれてる
ぼくらいかれてる

Boys & Girls

とめどなく溢れることばのせいだろ
きみの思考回路にできないConnect
間違いの接近はすれ違いざまに
濡れて使えないCardをぼくにScanするから

感電さ
完全な停電で回路が消滅さ
喧騒のあと静寂がおとずれていつも絶望さ

たどれない
幾千ものきみと交わした
ことばの裏にかくれた少年たち

とめどなく流れる感情のせいだよ
きみの心象風景がにごってゆくの
はじまりの点滅は赤い信号とともに
朽ちて使えないCardがきみにScanされて

繊細な
水彩画のはずがまるで深刻一色に

喧騒のあと静寂がおとずれていつも絶望さ

たどれない
幾千ものきみと交わした
ことばの裏にかくれた少女たち

すらつかめないいま

乙zz姫 (Sleeping Beauty Pt.3)

うむ、Lady
押し寄せてる
広げたてのひらにChance到来

運命が引き寄せてる
群がる街角にChance到来

ギクシャ、クしてた天気模様
あっけらかんに晴れあがる
よそいきの帽子かぶってんのに
頬杖ついてひとり窓際

誰彼か待ってんの?

眺めてばっか窓の外
ふわりと浮かぶシャボン玉が
きみの指先とまった刹那

ぱちんと弾けはじまりの
Return key押したら出番です
Be BopのBeatがきみの服に
Flamingo色の夏を描く

どうして醒めないの?
夢なのに
夢なのにずっと街中で

どうしてよべないの?
夢だけで終わらせない時間をStoryに

Showerにうたれ割れた硝子
Bldgに写りこむ黄昏時
Show Roomはみでた彼女のあし
水飛沫せまるHockneyの絵

Deskに散ったDesignの付箋
Focusはずす夜のBokeh
帰宅へ向かう渋滞の列
Present隠した背中の期待

悲観的でない
比較できない
ほどにStoryは唯我独尊
誰も褒めない
誰も褒めないってそりゃそう
きみは比較できない

悲観的でない
比較できないほどに都会には奈落の底
ありつけたOasis
やっとさ
Bed Roomにだけ甘えるきみは

どうして醒めないの?
夢なのに
夢なのにずっと街中で

どうしてよべないの?
夢だけで終わらせない時間をStoryに

Please Be Selfish

とめられないんだ
とめどなくあふれて狂う
きみのわがままの美しさにぼくは三秒間だけ
Stop motion
見惚れていたんだ
それは秘密の話さ今となっては

ぼくらは理屈によって色気を奪われてしまった
そんなぼくらの横を
後ろから全速力で追い越してゆく
Spring Boardに向かったきみに
ぼくらは一生
くたばりながら見惚れているんだろう

それは秘密の話さ今となっては

Time Capsule

発育している途中だと信じてた
ひみつの隠れ家だとも思ってた

木漏れ日はいつも瞬間でふたりの間すりぬけてく
そのときにかぎっておたがい背中をむけてみてなかったり

もう一度
木漏れ日をまってすごしてる
もう二度と
瞬間なんてさ一度きり

永遠のはてに手がのびたとき
きみの顔が歪んでみえた

時間にさらわれ輪郭となり
思い出にとけて湾曲した

どちらかが言いださないかぎり
どちらもここで終わってしまう
Time Capsuleの亀裂から
Speedがきみをのみこんで

ぼくは泣きそうになったんだ
ぼくは泣きそうになったんだ
ぼくは泣きそうになったんだ

無力で無力で孤独でみぐるしい

なみだをすって咲いた花

抑圧をよけてのびた蔦
理屈にそむいて駆ける足
身軽をもとめのびた腕

もう一度
瞬間をまって夢みても
もう二度と
終わりさこないよ一度きり

永遠のはてに手が伸びたのは
ぼくの顔がさきに歪んだから
連綿とつづく不安のなか
思い出はさらに泥濘で

すぐにでも逃げださないかぎり
すぐにもここで終わってしまう
Time Capsuleが破裂した

Speedがすべてのみこんで

ぼくら後悔を知ったんだ
ぼくは後悔を知ったんだ
ぼくら後悔を知ったんだ

無力で無力で孤独も奪われて

梔

梔のままぼくら沈んでく
「見知らぬままがよかったのかしら」ってそれはないよ

またこれだ
はじまりに突然襲われておわりが忽然と連れさった
貝殻となったことばだけ　乾いた砂上に残したまま
耳元にあててせがんでも　潮騒の影もきこえない
熟しても　残酷さ　思いの泡はひらかなくて

“You need to get out of the wet words, to surface from that dripping wet world.”

"Come surface from there."

"Those dripping wet words and worlds."

またこれさ
謐られたはずのこの味は謐られず朽ちて落ちてゆき
立ち去れずいまも立ち尽くしていることも出来ず窪んだまま
場違いなことばに圧されて間違い犯して歪んでく
きみが残した優しさの香りも嗅げない深淵で
梔のまま沈んでく

Her In Pocket

乾ききった風が荒れた喉かきむしって
Pocketのなかの焦燥に「この先で待ってるわ」と書き残す
涙ひとつ飲みこんで荒れた喉を潤して
Pocketのなかの約束に「その先でかならず」と握り締め

もう
いつも思い出して

"So, I just called for your name many times"
せめてきみの寝顔を

"I read over your email many times"

抱きよせる瞬間を夢みて
夢みてなんども壊れてく

わめきだした夕凪がきみの頬思いだせて
海の青も街並みもわだかまりも赤く染めてく

悲しみも飲みこんで荒れた心を冬にした
Pocketのなかの約束が握り締めた温もりで溶けてく

もう
いつもふたりだけを

"So, I just called for your name many times"
せめてきみの笑顔を

"I read over your email many times"
抱きよせる瞬間を夢みて
夢みてなんども壊れてく

5

Magic Number

魔法の様な瞬間を
君が今
呼びよせた

どんどん袖から遠ざかって
近づいて行く舞台の中心
「無心に」
人々の前
姿、かたち
心　解け　緩み、笑い
大人気無いひと時 酔いしれ
振り返れば

あっと言う間
がむしゃらにやりきれば終わってた
疑って瞬きすれば

途端、手叩き、歓声
目の前広がる賞賛
冗談みたいな瞬間
気持ち悪いけど一体感
実際は何分間？
けど
集中しすぎて
何年間も見たかの疲れと安心感

では
このまま
君はこれから
体が息を吐くように

至極、自然に離れて
そのまま見えなくなって
見渡してみても見当たらない

はじまりが君を連れてゆく

それまでを全て振り切り
そしてここからは振り出し
張り出した胸に気を付けて
繰り上げてる階段、思い出し
足元から天辺まで
満ちているのが伺えて
飲まれずに飲み込んでいける

だから
このまま
きみはこれから
体が息を吐くように
至極、自然に離れて
そのまま見えなくなって
見渡してみても見当たらない

はじまりが君を連れてゆく

魔法の様な瞬間を君が今、呼びよせた

昨日は、

ただいま朝の五時
なかなか寝つけずに
窓をあけて風を呑み
ドアをあけてうちをでた
何がほしいわけでも
無いのにふらふらと
町を歩いてコンビニへ
くりだす

ただいまと戻っても
何時もどおりひとり
白くたまったホコリと

散らかったままの服
何時かは片付けようと
考えながらふとんに
転がり、またふたたび
思い出す

夜中の電話
なぐさめようと
あれこれ言うが裏目に出て
気まずく切った

できる事ならば早く
君の誤解を解きたいが
どう打てば良いかわからず
前置きだけのメールの途中で
眠った

夜中の電話
なぐさめようと
してくれたのにごめんなさい、と
メールが届いた

できる事ならば早く
君に会いに行きたいが
今は仕事中だから
俺の方こそ、ごめん、と返して
弾んだ

パンピーブギ

そんなこんなでどうにも
テレビに出ている女がエロ過ぎる
薄着で谷間も見せるし
くびれにくびれてずばりゆれて良し

そんなこんなでどうにも
マスコミの流すゴシップが大げさで
あいつとこいつがデキてる
喧嘩や借金、失言知れて良し

ゲスいと言われりゃ身もフタも
無いよな、ほんとその通り
だけど、忘れてくれるなよ

それらと
にらめっこしながら
笑って
しかめて
向き合って歩んでる

ゲスいと言われりゃ身もフタも
無いよな、ほんとその通り
だけど、忘れてくれるなよ
それらと
にらめっこしながら
笑って
しかめて
向き合って歩んでる

ストレス溜まった私らが
澱んだ川を見下ろして
水面に映る自らと
そいつと
にらめっこしながら
笑って
しかめて
向き合って歩んでる

無理問答

無理！　無理！　無理！　無理！　無理！　無理！　無理！
無理！　無理！　無理！　無理！　　　　無理！　無理！

悪いが後にしてくれない？
今はいっぱいいっぱいだ
君の願いも聞きたいが
俺にも自分のペースがある

無理！　無理！　無理！　無理！　無理！　無理！　無理！
無理！　無理！　無理！　無理！　　　　無理！　無理！

悪いが後にしてくれない？
今はゆっくりしてるんだ

突然、急に言われても
俺にも自分の都合がある

無理！　無理！　無理！　無理！　無理！　無理！　無理！
無理！　無理！　無理！　無理！

分かってくれよな
わがままな君だけど
忘れてくれるな
君の事は好きさ

でも、今は
無理！　無理！　無理！　無理！　無理！　無理！　無理！
無理！　無理！　無理！　無理！　　無理！　無理！

おんなのおっさん

こないだあった話なんですが
俺の住んでるアパートに
夜の仕事してるおかまのおっさんがいるんですけど
そのおっさんが女装して、
俺が毎朝使ってるバスに乗って来た。
だいたい朝のバスってもう同じ人ばっかりなんで
おっさん、ひとり目立っててね
近所で会釈するくらいの顔見知りなんですが
こんな二つ隣の駅のバス停で見るとは

おっさん、どこ行くんだろうか？

なかなか浮かばれない
この朝の空気が
いかさま、騙されない
愚か者の奮起で
どうした？
何時もとどうやら違うが
通りを見慣れたバスが横切って

通勤通学詰め込んだ
駅までのバスに乗り込んだ
見慣れた面子とプラス1
見慣れた面子2度見をして

「あれは一体何なんだ？」
「あいつは一体何なんだ？」
「朝から一体何なんだ？」と
思ってるのが目に見えたり

化粧もはげて素性が出た
女の格好のおっさんの羞恥心は周知も承知
まるで教室に犬乱入
背広の足並みを乱した
あいつは一体何なんだ?
あいつは近所に住んでいて
俺はあいつを知っている

噂じゃ夜起きて朝戻ってくるらしい
ちびっ子じゃ判断出来ない性別でもあるらしい
職場では仲間からヒラリー（平畠）と呼ばれてるらしい
故郷は飛び出して二度とは敷居をまたげない
繋がりは3つ下の妹とだけ電話で
でも
珍しモン好き近所でも

付き合いが芽生え始めて
佃煮が好物で
何時かは自分で料理を
作りすぎて思い切って
隣りの家族におすそわけするのが
せめてもの夢
らしいけど
らしからぬな

あいつは
二度とは私生活で
うつむかないと決めたから
泣きたいながらも笑顔で
罵られてもジョークで

あいつは
挨拶だけは一人前

挨拶だけが精一杯
絶やさぬ笑顔で通り過ぎ
すかさず口元をさわって
前歯の渇きを潤して
出会えば灯を灯して
「あの人、何時見ても笑てるけどしんどくないんだろうか？」
いやいや、ちゃうちゃう
ここだけが
そこだけが
唯一
この街との人との接点です
だから
たいそう大切にしてるという話が廻りまわって

なかなか浮かばれない
この朝の空気が
いささかいたたまれない

愚か者の奮起で
どうもね見事に
どうやら乱れて
どうしてこの俺は
少し嬉しいのだろうか

見慣れたバスの車内で
ここでは見慣れぬおっさんが
人混みの中で俺みつけ
人目をはばかりはにかんで
それこそ近所で評判の
小さい笑顔で会釈した

俺も笑顔で返そうか？

俺も笑顔で返そうか

俺も笑顔で返そうぜ
乗ってけ乗ってけ

報告

「ハイ、起立」の号令は、レッツゴーと
陳列する成人　軽薄なアラーム
スクラム交わる　委ねるも漏れる
モラトリアムとレッテル
競ってる　急いてる
レッテルにめげてる
立ってるけど寝てる
見えてるけどぶれてる
黙って待ってる
目の前近づくにしても歩く足元が一歩一歩駄目元
恐る恐るそろりそろりの抜き足は手探り
笑われると用意している言い訳は
「近視なんで気にしないで」と

吐き続けると覇気無くなる言葉
箸転がるだけで笑いたい本当は
半ドアで乗る車
反動で飛び出せ鳩は
雑踏は潜水で学ぶ
面接で触れる過去には書こうとしない事故が
引っこ抜かれた希望は
じいっとしていると尻尾さえ無くなる
膝抱え丸くなると安心する、と言う迷信
鼻で笑うのを堪える
触れると気が振れる
叩くと震える
連れて回ると疲れる
促すと疑う
エキストラでリハビリ
「でかした」と褒める
くべる火には細心の注意を払う

雰囲気だけで話す病気
動機を探る
興味好奇心が時化て不発
迂闊に出す手　噛み付く犬歯で
全身で痙攣した後、白々しい声で
「状況は情報だけ　便乗は商業だけ　頂上は幻想だけ　後、国境と宗教だけ」と
分かった様な気分にさせるのが危ないと思いました
向かった

「今日は手を止めて出かけます」と
「先ずは頭、冷やしますわ」
「先ずは頭、冷やしますわ」
と微かに小さく二度呟くのを聞いた

はるいちばん

浮かれた顔待たせ
春の誘惑をのんびり眺めた
揺れる窓開けて
風の音を受けて日差しを仰いだ

背伸びしながら歩いた
ふるさとの街並みを思い出して
また
足もと見つけて歩き始めようか

思い出のあの場所は今も残っているだろうか
明日、春の風が吹いたら
久しぶりにでも帰ってみようか

ハローグッバイ

抱きしめて
さようなら
もう二度も泣かない
涙に背を向け
くちびる噛みしめ
手を振った

あの顔が描いている
話し足りなかった
夕べのけんか
かすれた声に
腫れ上がったまぶた
笑顔でこらえた

こころを揺らせて
そこまで送るよと
歩きだした

抱きしめた
あなたの
ぬくもりが
消えてく
見えなくなるまで
背中に手を振る
さようなら

二人で歩いた駅までの道を
一人で歩いて受け止めている

抱きしめて始まり

抱きしめて終わった
憶えて真似した
あなたのくちぐせに
さようなら

空部屋

何にもない
時間の余った空っぽの部屋に
まずはひとり
ようやく、夜中やってきた
明日の昼間
荷物が一式届くから
布団も枕も無しで今日は寝る事に気づいた
一人暮らしの初日が雑魚寝になるとは、と
首にかけていた白いタオル
枕変わりにして
明かりを消して
かたい床に寝そべりながら
期待と不安と疲れた頭で考えた

例えば
いつか誰かが遊び来たとして
泊まっていくなら何人くらい寝れるだろう

例えば
いつか恋人が遊び来たとして
泊まっていくならひとつの布団で寝れるだろう

何にもない
時間を戻した空っぽの部屋は
荷物が無いと意外と広く感じられた
明日からこの部屋も見ること無いから
携帯電話のカメラで写メを撮っていると
一人暮らしの初日は雑魚寝になったとか
思い出して

思い返して
新しい部屋に荷物が明日届くから
またもや、床で寝ると
いつまでたっても変わらぬ頭で部屋を出た

やがて
空っぽになったあの部屋も
いつか誰かが生活を持ち込むだろう

そして
明日から世話になる部屋も
空っぽのとこに生活を持ち込むだろう

そこに
いつか誰かが遊び来たとして
泊まっていくなら何人くらい寝れるだろう

あとは
やはり恋人が遊び来たとして
泊まっていくならひとつの布団で眠るだろう

プロテストソング

三年ぶりに実家に帰るも
当然、居る場所も無くて
俺達兄弟の部屋だった所は
今では親父の部屋になってる

俺達、子供が
この家を出たことで
ようやく手に入れた念願の書斎で
いったい何をしてるんだろうか

三十年ぶりに親父が手に入れた自分の部屋には
押入れに閉まっていた若い時の物がちらほらと
表に出てきて青春がタイムスリップしているから

冷やかし半分の好奇心であれこれ物色していると
色褪せたカセットテープが見つかる
ラベルにはボールペンで昔の曲と書いてあったから
若い頃何を聴いていたのか少し気になって
その隣に置いていたラジカセで再生してみた

ダビングした昭和のポップス、洋楽のロックもしくは
何かのラジオのエアチェックが入ってるのかと思いきや
線の細い生々しいフォークギターの音が鳴り出して
それに乗せてまさかの親父の歌声が聴こえて来た

親父の歌声は
今よりもずっと若くて
だからこその青さが
俺の様にダサかった

言葉の選び、言い回しからひょっとして察するに

若い頃に作ったと思われるオリジナルソングで
俺の知っている親父からは考えられないが
なかなかやる堂々としたプロテストソングだった
その時代の流れに沿って作られたのだろう
その当時歌っている姿も想像出来て
何となく鉛筆で歌詞を書きとめながら
メロディーをなぞって口ずさんでみた

ばかばかしいのは
気づいているのに
まだばかのふりしていて
やりすごそうとしている

可愛い顔だが
悲しい目をして

肩から崩れて
そのまま倒れた

誰かが怯えて
誰かを騙して
誰かを殺して
誰かが得した

本当は誰が殺して
本当は誰が得した
ほんのわずかな時でも
本当の事を伝えよ

愛しいあなたを
急いで抱きしめ
命の終わりを

体で感じた

本当は誰が殺して
本当は誰が得した
ほんのわずかな時でも
本当の事を伝えよ

くちづけしたいが
今では抱けない

笑えた話も
今では出来ない

ばかばかしいのは
気づいているのに
まだばかのふりしていて

やりすごそうとしている

夜も過ぎ、外から帰ってきたおれの親父は
台所でテレビを見ながら酒を飲んでいた
久々に会う事をやはり、補いたくて
ぎこちない距離感の挨拶で顔を見せた

軽く椅子に腰掛けて、がまんして酒につきあうと
酔っ払って声のでかくなった親父と打ち解けてきて
何となく流れから、いけそうだったので
親父の部屋にあったカセットテープについて聞いてみた

なんとまあ驚いた事に、録音されたあの歌は
人前で一度たりとも歌った事が無いらしく
ましてや録音した頃には学生運動も反戦ソングも

下火になり忘れられかけていた頃らしくて

その当時、生活のため懸命に働いていた親父は
しかし、同い年のやつらのやっている事が気になって
ニュースやラジオでその動きを知らされながら
羨ましくも疎ましくも思っていたらしかった

結婚して一年後、おふくろが妊娠したので
俺が生まれたら今よりももっと忙しくなるだろうから
今のうちに何かしてみたかった事をやっておこうと
電気屋へ行って一番安いラジカセを買ったらしい

もともと歌詞はその当時、反戦歌に憧れ、見よう見まねで
作ってあって、ギターもほんの少しだがコードが弾けたので
毎日少しづつ寝る時間を削って一週間かけて
曲を作り、録音して残したらしい

親父の歌声は
今よりもずっと若くて
だからこその青さが
俺の様にダサかった

俺達、子供が
この家を出たことで
ようやく手に入れた念願の書斎で
親父は今も生きていた

親父の話にへぇ〜、と相槌を打ちながら
酒の勢いもあり「でもあれなかなか良かった」と言い切ると
親父は笑いながら安心した様に席を立ち
食器を流しに置いて「そうか」と喜んだ後

照れなのかなんなのか少し間をあけて

「でもあれ、あの曲、キスとか抱くとか歌っているが
詞を書いたあの頃、当時、実はまだ、童貞だった」と
つけ加えて親父は部屋に戻って行った

朝早く親父もおふくろも寝ている間に
申し訳ないが挨拶もせずに家を出た
曇り空だがこれから晴れそうな天気を見て
息を吸い昨日を受け入れて始まった

フルーツサンド

バカだな
なんども言わせることじゃないのに
欲しがるきみの瞳が美しくほほえむなら
それくらいしかできないけど
何十年も続けていうよ
「誰しもひとの気持ちなんて続かなくてさめるから
絶対なんてことばはありえない」と駆け引きをするかわいいきみに
それでもたとえ信じなくとも死ぬまで続けていうよ愛してると
吐き気がするほど
にあわない　てれくさい
ことばだがバカだろいうよ
いいたいんだ
何度でも誓うよ

きみがフルーツサンドをうれしそうに食べるのが好きで
かなしませたりよろこばせたことを思い出すんだ

きみとぼくが同じようにゆらせあった感情が
ふたりの目尻のシワに刻まれてゆくその時間すべてを

愛してるよ
この世のすべてのできごとをふたりで分かち合いたいんだ

愛してると
吐き気がするほど
にあわない　てれくさい
ことばこころ込めていうよ
いいたいんだ
何度でも誓うよ

ゆめいどりいむ

6月2日の朝9時
お互い遅刻しないのスジ
書き通りの今日の旅
奇跡的に久しぶり

休みがかぶったおれたち
学生時代のともだち、と
懐かしいよなこの感じ
晴れた港からフェリーに乗る

到着までの時間つぶし
こんな時間から飲む酒
酔ったら外でてあたる風

フェリーは水飛沫あげ
なんてたって忘れてる
「全ては陸に置いてきてる」
「ってそんな出来るわけないだろ」って
「おみやげ買う約束もしてる?」

だけどもいいたくなるよな
ノスタルジーと逃避行
着いたらまずどこ行こう?
やっぱうどんとか食うだろ?

むかし話に花咲く
いやな思い出、ダサい思い出
記憶がいいからおれ憶えて
いるけどお前に金貸してたよな?

から始まる言い合い
外でて見るかなもう一回
遠くに見えた目的地
今日の休日は特別に！

大きくなってくる気分と
感覚思いだす自分と
戻れないころの青春と
今も変わらない未熟さと

お願いだからお互い
今日だけ仕事の話は無しな
語ると途端に老けてくし
夢から醒めて終わっちゃう

お願いだからさお互い
今日だけ仕事の話は無し

語ると途端に老けてくし
お互い別々の道を選んだ
世知辛いことわかるから

それがわたしのゆめ
野暮な話、でもまじな話
こういうことも大切さ
甘ったれたノスタルジー
今日だけいこうぜコミカルに！

駅前借りた自転車
いい年こいて漕いでる
海岸に沿って回る車輪
風車のよう回転中

目新しい景色の数々

大きく喋る声がはつらつ
坂を上り、坂を下り
立ち止まって地図をにらむ

あーだこうだ右や左やら
まーだ先のほうって言いながら
いきあたりばったりの性格
そこ変わってなくて安心した

でも、気をつけないとこれから
嫁も子供も部下も上司も
色々と…とか思ってると
ひらけた景色飛び込んだ

海と船と山と街並み
見下ろしながらすいこんだ
胸いっぱいにすいこんで

都会の灰汁を吐き出した

なんだかんだおれたちも
年とるごとにわかってきた
誰かのせいにしてきたツケ
がその分肩に圧しかかってる

You may dream　分かってるさ
あのころのようにいかない
モラトリアムは手のひらを
つよく蹴って去ったんだ

だけども忘れんなよな
あのころ夢中になってたもの
電気の新譜が出たことくらい
流石にチェックしといてくれよ

おれもおまえもまだ現役
好きなミュージシャンも現役
ヒロトマーシーもまだ現役
好きだったとか過去にすんなよ

野暮な話、でもまじな話
こういうことは大切さ
一日だけ、ノスタルジー
今日は、いこうぜコミカルに！

お願いだからお互い
今日だけ仕事の話は無しな
語ると途端に老けてくし
夢から醒めて終わっちゃう

お願いだからさお互い
今日だけ仕事の話は無し

語ると途端に老けてくし
お互い別々の道を選んだ
世知辛いことわかるから

いいよ今日くらいハメ外せ

どうせ明日からくる未来
お互い別の道の未来
かっこつけてからいいたい
「携帯電話も海に捨てた」って
You may dream!!
それ
You may dream!!
You may dream!!
そう

You may dream!!
それがわたしのゆめ

君の好きなバンド

君が恥ずかしがって隠そうとする好きなミュージシャン
「マイナーなバンドですけど」って隠そうとしてるそのミュージシャン
実はおれも大好きなバンドの一つさ

おれも中々今まで人に好きだって言った事、一度だって無いけど
売れてないから知らないって言われるのが嫌で隠してたけれど

後で言うんだ

君の好きなそのバンドは
おれも昔から好きなんだ

今度イベントにそのバンドが来るから一緒に見に行こうよ

好きな二人で

恥ずかしがる事無いから
だって
君のカバンに着いてるそのバッジが光ってる

あのバンドのグッズは
デザインも格好良いんだけど
曲の出来にムラがあるよね

でもそこが好きなんだ

二人で見に行ったとして客がおれ達だけでも
二人で百人分は楽しもうよ

なんてたって

君の大好きなそのバンド
実は
おれも昔から大好きなんだ

ハウスミュージックだけが

おねがい
どうか夜よ
終わらないで

朝がはじまれば
きみがかえってしまう

時計をゆるめるように流れる音楽は
未練がましくさけぶこころ
やさしくくちどめて

寂しさは雪となって胸に降りつもる
だからさ

夜の果てまでふたりだけのひみつを
つづけていこうよ

ハウスミュージックだけがいつもの場所で
この世界でいちばんやさぐれてるやさしい場所で
ゆめをみせてくれる

Blue Canary

浮かんで色づき
流れてゆく空

なんだか多くを
思い出して恥らう

浮かんで色づき
流れてゆく空

あなたがうつした
こころの景色に
この胸の愛を
あなたへの想いを

かさねたくて
古くて切ない
ひとりごとを
そらに、はなした
Blue Canary

あなたの夕暮れが
心に焼きついて
なんだか遠くの
広い景色を眺めていると
この胸の愛を
あなたへの想いを
かさねたくて
古くて切ない
ひとりごとを
そらに、はなした

Blue Canary

Reason To Dance

「いってきます」なんて恥らいながらも希望からめた声が
玄関から聞こえてきたもんだからさ
「いってらっしゃい」ってそれがあたかも日常だったように
平静を装って返事したんだ、けれども
たったいま交わされたやりとり、なかったんだよ何年もお互い
この先訪れないいってほんとうにほんとうに
もつれて絡まった関係だったはずが戻ってきたんだ
夜は「ただいま」「おかえり」っていうあたりまえの暮らしが

きのうよりもっと唄う鳥も　あつまりはじめたんだよいま
きのうよりもっと唄う鳥も　弾んでくテンポいい会話がほら

1・2・3とリズムを掴んだら 腰をあげて片付けしていた部屋に戻って

5

A・B・Cから並んだ本棚の ほこり雑巾でふき取りながら軽く踊って
ムーディーなピアノがラジオからスイング
つられて洗濯までできそうな休日ってことは
good enoughなふらつきで 午後からもいい予感がするよなしないよな

きのうよりもっと唄う鳥も さわがしくなってきたね
きのうよりもっと唄う鳥も 躍動をはじめたからさ

左から順番に握手する手と
右から鍵盤にタッチする手
心の羅針盤が示す方角で
ローカルとアーバンは交わって
探してる答えはここにない
ハグしてる支えはただの期待
読みかけの本のページない
産みかけのアイデアのゲージは倍
「向かう 移動 集う

きっとそれは光る希望なのかもしれないよ
ふとした理由がわからない
ちょっとした理由がわからない
意図した理由がわからない
ここにいる理由がわからない」

なんて昨日の夜きみは、
喉のなかに詰まっていた、ことばふりしぼって
壁にぶちまけ、ふりみだしたんだ
ふるえた声は美しいほど人間らしくてさ
やっときみが生きてるんだなって実感、あのときしたんだ

きのうよりもっと唄う鳥も　だからきょうの一日はあれさほら
きのうよりもっと唄う鳥も　いつもと違うんじゃないかって
きのうのことばを考えながら、久々に座るキッチンのテーブル
あのとき、きみは奈落の底を見つめながら

「インターネットにでまわってる手垢にまみれた格言で
慰めようとするのはやめてくれ」と投げすてた後、疲れた顔して
ぼくが泣いている理由なんてわからないだろう

って、最後つぶやいたんだ。

なにいってるんだ

泣いているきみのそばにずっといた理由がわかるかい？
この先これからも泣いているきみのそばにいるだろう理由、
そしてこれまでも君の泣き声を沢山聞いてきた理由が、
わからないからこそ寄り添い続ける理由が。

おたがいがことばに出来ない理由が。じっくりと時間をかけて示す理由が。
もしわかるなら、だったら答えはでるだろう
これからぼくらがダンスフロアへ踊りだす理由もわかるだろう

さあ、そこからさ、

玄関をでたきみは　通りに出て、道を辿る。
街をみつけ、人並みをみつめ、四つ角でいずれ、足をとめるだろう。

地図を眺め、坂をあがり、広場で休み、
足取りを速め、ダンスフロアへと向かう。
踊ることは、今をつかみ、夢中を知る。

やがて疲れ、夜がくれば、戻っておいで、明かりのついた、玄関の方へ。
そしてきみは、扉をあけて、日常のなかで、「ただいま」と投げかけるだろう。
そしたらまた、あたりまえのように、日常の声で
「おかえり」って、投げ返すだろう。

生活はいつも、まばたきの間、時間をとめて、
人それぞれの、バラつきを与える。

だからぼくらは、言葉を投げて、リズムをあわせる。
眠ったり、起きたり、笑ったり、お互いのリズムを、確かめあって、
きみのそばで、踊る理由を考えてゆくんだろう。
「ただいま」「おかえり」っていう、あたりまえのリズムで。

One Morning

Good morning　おはよう、と荒涼としたままの脳波
今日は、もとい今日も昨日の延長で尋常でない時間軸だ
近所ではいつもの早朝のSound　焦燥はMount、
されてっけどんまあこれも日常茶飯事
らっぱ鳴ったら目が少し開く
光よけて脳が問いかけてくる
食べてから寝るか寝て起きてから食べるかって
勝手気ままな生きようだった意気揚々としてる記憶がまぶたの裏に映写
始まったら終わらない頭の整理整頓が疼く音
In.
とけかけた写真たてのような角度から見える景色は
おぼろげな記録を曖昧に言い合うときの解像度で再登場
んーーーーーん?

あの靴下は誰が履いてたっけ?あの色、あの柄、
足元だけ瞼に映って、飴色?ああ、あれ姉の色。
でpanning、顔は?·ああ、作んないといけないみたいで
親指の指紋だけある顔を両手で触って凹凸を作る
目、鼻、口、次々、むき出しにmaking。
はじめて作る女のひとの顔に接近
ああ、ああ。またこれか。
このひと、涙間違えて作った鼻先から漏れてくる。
ごめん。ごめん。また間違えた。
何度作っても目から涙が出てくれないんだこのひと。
ごめん。ごめん。ごめん。
いつまで作れば出来るんだろう。
だれに謝罪してるのかわからない
おそらく未来のひとに向けて謝罪してるんだろう毎日
対して、何もできやしないのに、
あれこれ尻馬にのって時事を食いつくす田舎もんへの殺意ひとつ
打ち消して見つめるこのひとの顔、できたてのこのひとの顔眺めて謝罪ひとつ

手に手をとる。
歩けるかい？歩めるかい？
ひとりよりふたりで歩く難易度
を噛みしめながら路地をRun移動
そうだそうそう、
Rhythmさえ掴めたらこっちのもん
呼吸さえあえばもうこっちのもん
と思ってたら不意に緊張、慎重、さ足りてないっていわれても時既にお寿司。
膝小僧に赤身一丁。
失笑されても失踪してしまいたいこの世のなかだから
疾走感抱えて悲壮感出てても挙動不審で生きている
まちがってるかい？今日も順調に間違ってるかい。
愚かなる踊りはのどから鳴る声で美しいほどに孤独
速読している血液がどくどくと迫る鈍痛を血眼で避けている
Hey諸君、だれん鶏冠があったまってんだ？
だれん鶏冠にのっかって発散するんだStress
「そんなものになってはいけません」

「言葉にぶらさがって頷いてばかりではいけません」
このひとが初めてしゃべった言葉は
単刀直入至極当然な喉越しで太陽を天井に突きたてた
遠くへ行こう、日陰を探して
直射日光を直視できないこの弱さは
きみの脳に柔軟材を流し込んだんだ
発想が合唱し颯爽と参上
葛藤は快調に頑丈さ強調
争いは延々と経験を積んで、打ち解けたそぶりの蜃気楼をつくる
つかめるまでつかめるまでってきみの建前を本音がつらぬいた
炎天下のなか転々と定点を変えて動く
暑いね、暑いよね、寒いね、寒いよね、って
初対面どうしみたいな言葉を交換し初歩の共感にたくした二分後
気分を体験によってめくられたくなってきた衝動にぶつかった刹那
Yes sir. 先に転調をはじめたきみは首でbeatを打っていく
さすが、のみこみの早いこのひとはＢＰＭつかまえて歌っていく
頭をつかわない体感はいずれ官能に点火して夜を招くだろう

紅潮するきみとこのひとに誘われて空も茜を挿してきた
急ごうか急ごう、ここはいずれ寒くなる気候だから
こういうとき意思疎通で盛りあがれる希望は宝
ばかだな、一瞬頭をかすめたAlarmの音
なにやら楽しくなってきたときいつも引き締めにくるこれ
こういう性分を幸福は笑ってくれるかい？
どういう成分で境遇は変えられるかい？
呪文のようにあふれでるAlarmの音
国民的先天性の泥田坊に襲われないよう気をつけろと
浮かれて飛び上がればきみを撃ち抜く臆病なSadistがいるってこと
つまり死ぬってこと、妬みに足をすくわれて死ぬという悲惨な結末を
体験VTR交えてGhostが囁いてくれる番組を聞きながら、
そういえば、
この星では〝善意と発展性〟は生まれてすぐに去勢されるんだと思いだして
急ごうか急ごう、
手と手をとりあった一度目よりも温もりと繋がりが伝わる二度目
二度見したのはそんな自分に驚いたから？

実行移すにはまだ早かったかしらってぶっとんだ夕焼けが言葉を殺す
曇天の空が彼方では黒く
轟くよ届くよ途方に暮れないで
もののけも戻れないところまできたんだから
最後の火を灯そう
ここにいることを闇に教えてもだれも今は狙ってこない
なんでかって?きみとこのひとは使えない劣等品だから
いまはまだふたりに手をだすよりも
さきに搾れるところからとっていくだろうって話
轍に、暗闇に手触りで知る轍に
希望を見るか否かは知る由もなく
だからって逆らって苛立ってみても
苛立ちも避雷針に吸いとられていくだけ
したがって燃料にしてるんだfoot work発動機
「だってさだって、というのも」というと喉の奥から狼煙は上がる
だってさだって
ばんばん好きなArtist死んで、がんがん友人知人子供産んで

どんどん現状の異常さを知って、じんじん心痛んでも
金撒かないと寄ってこない目先の小手先にぐるり包囲される毎日だから
ふと、これまで私人生何してたんだろう？って途方に暮れてきみ
夕闇点滅するつぶらな飛行機ながめては
もう表面張力でしかつきあえないって
Time Limitがあるんだからってきみは打ち明けたあと
誰もが知らない踊りでいずれは飛び出すための武器でって
世渡りできない人格にもかかわらず、童の瞳で炎をにらんだ
その瞳に照準を合わせたきみ
きみはこのひとでこのひとはきみでもう違いない
孤独が孤独をみつけた果てには
柔らかい誕生が宇宙で爆発
verandaから手を振る母親の姿が脳裏をかすめたかい？
だとすればそれはなんとなく戻れる存在を確かめたんだろう
がしかしでもしかしそれはまぼろしのまぼろし
気休めになるようなでもあるとなしでは違うような
よぎってはとけていく映像の蔦をたどれば

言葉によって閉じ込められていた
言語では拾えない色彩があるだろうそれを
手に塗って、足に塗って
膝に塗って、顔に塗って
肘に塗って、肩に塗って
腹にぬって、尻に塗った反射神経で
踊りだせば描いていく抽象画の舞
人間の人間によるもうことばもない
闇夜のcambas描きなぐられる色彩は弱く
だけどもなんども塗りたぐれば些細から琥珀
があらわれて色がのってきたんだついにのついに
きみとこのひとは一心も一心不乱で
昼間に作った音楽で踊り描いていく
色を塗って、闇を切って、風を立てて、色を塗る
次第に肥大な闇が薄れていく
まさかなまさかな逆さまな世界の到来
白んでいく色彩によって、塗りたぐられた色彩によって

薄暗い青はぼんやりと世界に輪郭をあたえた
青写真が現実になるということは
現実で青写真をもう一度作るということがはじまる
びしょびしょの情緒から腐敗しないよう奥歯に隠していたvisionを
朝焼けで現像し晴天をにらんだ
目も眩むような本日の朝は鮮やかだ
疲れも忘れるほど足の裏軽やかだ
さあいこう
手に手をとる三度目の正直
さあいこう
彩度をあげて、光度をあげて
口角をあげて、speedをあげて
手触りで想像しかできなかった足元の轍も
それがどこにつながっているのかすでにふたりには見えている
それはふたりが塗った朝の調べ
それはふたりが作った朝の行方
このひとの涙はいまどこからでてる?

このひとの涙がどこからでていようがそれをきみは誇りに思うだろう
やがて刻まれる目尻の皺の記憶に
ふたりは忘れぬよう旗をたてた
Jump up Jump up　朝を捕らえに
伸び上がれ手足　朝を捕まえに
ってところでぱちんと
おはよう
Good morning
You still have not slept yet, or You may be sleeping every day.
The desolateness is sitting in your brain today too.
When saxophone begins to sound, your today begins again.
You seek your own morning in this world.
I wanna sing the feeling
jump up. jump up. Touch the sun.
jump up. jump up, Catch your sun.
Before the next morning comes.

Note

思い浮かんだ泡沫のひらめき
ぱちんと消えてしまわないように
あわてて開いたまっさらなNote
久方ぶりにPenを握ってかいたら
え、こんなに下手だったっけ？
と驚いたその端から

あれ？何を描きたかったのだろ？
忘れてしまってさようなら
せっかくだから何かかこうかな
あわてて開いたまっさらNote

瞬間

「最悪だ」っていうけどごらん　芝生の上じゃ
ふらふらと可愛げなバドミントンの羽根がいったきたり
大きなシートひろげた知らない家族のこどもが
きみにわらいかけて不満をぼくに爆発できない瞬間

それが今日いちばんおかしくて
ぼくは絶望を手放した

「退屈だ」っていうけど
ぼくら見つめ合うふりして
いつだって肝心要なShutter Chance押せず逃していたり

そういやあの時どうして？　きみは芽生えた気持ちを
手のひらで圧し殺して　うつむいてごまかしはじめたんだろう

それが今日いちばん苦しくて
ぼくは絶望を呼びよせた

憶えてくよ
その瞬間
酸いも甘いもすべて焼きつけて
瞬きするたびに記憶のなか

統率されてゆくよ　徐々にみえないいたかりに
湿り気に　まやかしに　くるまれて　行列並んでいる羽目

生まれたばかりの歌声や笑顔や友達の子供や

泣き声や怒りの手や踊る腰が目前浮かんで消えてく
そして何ひとつ　掴めずに　ぼくら絶望に染められても

憶えてくよ
その瞬間
酸いも甘いもすべて焼きつけて
瞬きするたびに地獄の花

憶えてるよ
この瞬間も
忘れたくてもすべて焼きつけてる
瞬きするたびに記憶のなか

終わりよ

転がって転がって　いったいあなたはどこへゆく
何時だって今だって　知らないところでわろてる
「黒だ」って「白だ」って　終わらぬLoopを背中に
暗がりでぶつかって　出口を手探りどこへゆく

終わりよ
来ないで

終わりを
拒み

連なって群がって　いったい彼らは何してる
嘘だって知りながら　被害者面して居座って

「誰だってあのときは」　枕詞に糊をつけ
口先で踏みつけて　発狂卑怯で生きている

終わりに
してやる

終わりの
はじまり

言葉って言葉って　なにより誰より正直で
こだわって隠しても　あなたの本音を炙りだす
鈍感な人だかりが　雨後の竹の子
唯一の出口も　塞いで増殖

終わりと
知らずに

終わりと
気づかずに

愛

I love youを毎日言えど
I love youは板につかず
愛想よい吹きだしつけど
そのコマでは人っこひとり
額縁に飾り眺めるほどの
美しさは宿らぬ
美しさは宿らず
I love you

久々

新幹線の先頭席
映画と車窓を見くらべて

体の痛みに起こされて
慌てて荷物を抱え降り
人混みすいすいすり抜ける
昔のように急ぎ足

あそこの駅で途中下車して
あそこのパン屋に寄ってみて
あの商店街も抜けてみたい
そんな思いもメモ帳止まり

遅刻の言葉を考えないと

ひさしぶりの友達と会っても失望するだけ
なのに
間がさして、さして、そして
返事したのが今のこれ

かわらぬずさんな言葉尻
まだらな思い出は今に重なる
懐かしがってる時間をよそに
残酷な距離を思い知る

たまにはこういうのもいいもんだね
なんだかみちがえった気分だありがとう

まったく変わらぬ脳天気さ
考えすぎとは正反対
明日までには忘れないと

ひさしぶりの友達と会っても失望するだけ
なのに
間がさして、さして、そして
返事したのが今のこれ

道草

水曜の昼間なのに
農大通りはひとがいて
麻婆豆腐を考えながら
自信の湧かない服装で歩いてる

突然できたクレープ屋
学生と主婦に遊ばれる
向かいの蕎麦屋のように
次第にここにも染まってゆくだろう

誰のことばも嘘にまみれて
誰と話しても退屈で
誰もが知らない山荘で

この街のことを咀嚼するしかなし

わかりあえないというより
わかりを恐れる人々との決断は強いられている

切札

会社のなかではdiamondsの3
友達の間はclubsの7
子どものころはspadesの8

あなたは私を査定する
あなたのgameのなかで
勝手に

あなたは私を詠めないまま
あなたの粗雑な描写で
値踏みをして押しこめる
勝手に

あなたのおろかな手札に
なるわけないことすらもわからず
勝手に

旅の雫

Trip trip trip

あなたはわたしを拡張する
あなたの生活を覗かせて
あなたはわたしの現実に慌てたわたしを
置いて去る

聞こえた声は耳で歌った
沈黙は苦く
時間を急かす

Drip drip drip

あなたがわたしにしたたる
あなたのわたしに浸って
あなたがわたしに残したあなたは
わたしを揺るがす

聞こえた声は耳に居座り
沈黙は語る
時間の効能を

最中

きみが陰口を叩く最中
きみが人目を気にする最中
きみが金勘定してる最中
きみが正義を歌う最中
きみが言い訳を歌う最中
きみが泣き言で稼ぐ最中

僕は

きみが皮肉で笑う最中
きみがつっこみをいれる最中
きみが他人事と突き放す最中
きみが見下してはしゃぐ最中

きみがかしこげに弁打つ最中
きみがきみらしく卑しい最中

僕は

この午後6時の空に
体のなかにたまった言葉を
洗って空っぽにしてふたたび
新しい言葉で支えようと
自分自身を保とうと
あがいていた
気のままになろうと

書き加えろ
きみの怒りを
書き加えろ

100

誰も途中で匙を投げる
この無限の時間を和やかにつきそう

これははじめて手にいれた
あなたと世界との入り口ゆえに
朝から晩までつづけよう

あとがき

この詩集のためにこれまで書いたものを読みなおしたのですが、割と一貫して表現したかった景色があったことに気づき、それと同時に大学生の頃、抽象画の合評で先生が自分の色彩感覚を指し「鴨ちゃんはロマンチストなんやな」と評したこと、その時はピンと来ていなかった（来たくなかった）言葉を思いだし、そうなのかもと今更それを受け入れることの時間の遠回りを思うとやれやれですが、その認めなかった気持ちが作品が個性になったのかも知れません。また、いま脳裏を掠めた十年程前の記憶、草野球の試合終わり十三にある飲み屋で安田謙一さんに「鴨田君って女性に叙情的なことない？」と言及され、未解決のまま残っているこの言葉も、この先、そうなのかもなと思うことになりそうな未来が押し出されており、その時を待つことにしようと思います。

詩の内容が年を追う毎にわかりやすくなっていったのは、イルリメの最初三作品での歌詞においての批評にて〝意味のない言葉の羅列〟〝理解不能な歌詞〟など書かれたことへの苛立ちから、お前らにもわかりやすく書いたろうやないか、と、音楽に駆りたてられて喉からむせ返った言葉達をいちいち説明的に描写してゆくようになるのですが、必ずしもその反発からだけではなく、芸能人しか必要としない日本語の芸術内で生きていくための様々な妥協や、技術的に歌詞を書くことそのものへの進歩などの原因も重層的に編まれて変化していったと考えています。ただ、今は他人にわかりやすく伝わるような気配りなど無用、自分に忠実にと立ち返っています。

提供用の詞をはじめて書いたのは、日向月でした。スピードメーターさんに頼まれて新人歌手に書いたものの話が流れ、結局 SPDILL に収録したのですが、そこから提供という表現方法の翼を得ました。提供するというのは、それまでの自分という個体がラップまたは歌うという、ある種の義務や責任から自由になり、多様な感情表現ができるようになったことから、より正直に気持ちを隠さず衒いなく表現できるようになったと思います。ちなみに（(さらうんど)）の詞もその延長、提供曲という位置に自己内で並んでいます。

最後に書きたいことを綴りますと、これら自分の書いた作品を好きでいる人々、ありがとうございます。これらを好きでいることに誇りをもっていただいて大丈夫です。あなたのその繊細で複雑な感性を誇りに思います。これらは自分の表現の高みに向けて忠実に描き上げた作品ですので。

鴨田潤

目録

◉イルリメ「イるreメ短編座」
アルバム／二〇〇〇年／自主制作
galaxy express　P. 4
UFO日和　P. 8

◉イルリメ「Quex」
アルバム／二〇〇二年／Spotlight Records
ファウルする休日　P. 11
ファウルする平日　P. 13
今日を問う　P. 15
内緒&ロール　P. 19
夕べの雨　P. 24

◉イルリメ「鴎インザハウス」
アルバム／二〇〇三年／Musicmine
オープニング　P. 27
ブーメランセレモニー　P. 31
閑話休題　P. 36
フライング　P. 42
目無し　P. 45
たちんば　P. 47
ドライフラワー　P. 50

◉イルリメ「www.illreme.com」
アルバム／二〇〇四年／Musicmine
こだまにめだま　P. 55
未だ、知り染めし岐路に　P. 60
トリミング　P. 65

◉イルリメ「イルリメ・ア・ゴーゴー」
アルバム／二〇〇七年／カクバリズム
元気でやってるのかい？　P. 69

◉イルリメ「メイド イン ジャパニーズ」
アルバム／二〇〇九年／カクバリズム
カレーパーティー　P. 73
さよならに飛び乗れ　P. 78
たれそかれ　P. 83

◉イルリメ「360°SOUNDS」
アルバム／二〇一〇年／カクバリズム
HELLO MELLOW　P. 87
とらべるびいつ　P. 93

◉SPDILL「How to feel the empty hours?」
アルバム／二〇〇四年／De-Fragment
emptyhours　P. 98
現花　P. 101
日向月　P. 108
Sleeping Beauty　P. 111

◉SPDILL「LULLABY」
アルバム／二〇一七年／SPDILL
Your shoe　P. 123
Under The No Sun　P. 126
Lip Sync　P. 129
Oyasumi　P. 131

◉ECD「SEASON OFF」
アルバム／二〇〇二年／Cutting Edge
ハイチェック　P. 136

◉二階堂和美「二階堂和美のアルバム」
アルバム／二〇〇六年／P-Vine Records
レールのその向こう　P. 139
なみだの色　P. 141
あの子のあの頃　P. 143
Lovers Rock　P. 147
絵空葉書　P. 150

◉EVISBEATS「ひとつになるとき」
アルバム／二〇一二年／AMIDA STUDIO
いい時間　P. 153
なんともまあ　なんだかなあ　P. 159

◉『屋上野球』Vol.1
雑誌／二〇一三年／編集室 屋上
野球盤のなか九つの一秒　P. 166

◉lyrical school「わらって.net／Ｍｙかわいい日常たち」
シングル／二〇一三年／T-Palette Records
わらって .net　P. 169
Ｍｙかわいい日常たち　P. 173

◉lyrical school「SPOT」
アルバム／二〇一五年／T-Palette Records
月下美人　P. 177

◉『ユースカ』第二号
雑誌／二〇一四年／DIORAMABOOKS
Dream Baby Dream　P. 179

◉yanokami with イルリメ
ライブ／二〇一三年／Yanokami Indoor Festival
Don't Speculate　P. 183

◉Baleine 3000「The Nap」
アルバム／二〇一六年／Vlek
Gonna Rain　P. 187
The Nap　P. 188

◉KONCOS & 鴨田潤「ぴん」
配信／二〇一五年／KONCOS
ぴん　P. 189

◉蓮沼執太「メロディーズ」
アルバム／二〇一六年／SPACE SHOWER MUSIC
Raw Town　P. 192

◉冨田ラボ「SUPERFINE」
アルバム／二〇一六年／Victor Entertainment
Bite My Nails　P. 196

◉KASHIF「BlueSongs」
アルバム／二〇一七年／Billboard Records
You　P. 199

Neverland　P. 203
Breezing　P. 206

◉(((さらうんど)))「(((さらうんど)))」
アルバム／二〇一二年／カクバリズム
夜のライン　P. 210
サマータイマー　P. 213
Skyper　P. 219
Gauge Song　P. 221
タイムリープでつかまえて　P. 224
冬の刹那　P. 229
R.E.C.O.R.D.　P. 233

◉(((さらうんど)))「NEW AGE」
アルバム／二〇一三年／カクバリズム
空中分解するアイラビュー　P. 235
IMAGINATION.oO　P. 241
Neon Tetra　P. 247
きみはNew Age　P. 250
半径１ｍの夏　P. 254
Hocus Pocus　P. 256

◉(((さらうんど)))「See You, Blue」
アルバム／二〇一五年／カクバリズム
Siren Syrup　P. 260
Boys & Girls　P. 262
乙ｚｚ姫 (Sleeping Beauty Pt.3)　P. 264
Please Be Selfish　P. 268
Time Capsule　P. 270
梔　P. 274
Her In Pocket　P. 276

◉鴨田潤「一」
アルバム／二〇一一年／カクバリズム
Magic Number　P. 280
昨日は、　P. 284
パンピーブギ　P. 287
無理問答　P. 290
おんなのおっさん　P. 292
報告　P. 299
はるいちばん　P. 302
ハローグッバイ　P. 303
空部屋　P. 306
プロテストソング　P. 310

◉**鴨田潤**「二」
アルバム／二〇一六年／鴨田潤
フルーツサンド　P.319
ゆめいどりいむ　P.321
君の好きなバンド　P.330
ハウスミュージックだけが　P.333
Blue Canary　P.335
Reason To Dance　P.338
One Morning　P.344
Note　P.354
瞬間　P.355

◉**鴨田潤**「三」
アルバム／二〇二〇年／カクバリズム
終わりよ　P.358
愛　P.361
久々　P.362
道草　P.365
切札　P.367
旅の雫　P.369
最中　P.371
１００　P.373

鴨田潤

中学時代、友人から中島らもを知り、読み耽る。大学卒業後、勤めていた古書店で柳原良平の挿絵を気に入り購入したことから山口瞳の書籍に嵌る。二〇〇〇年にイルリメとして1stアルバム「イるreメ短編座」を自主制作で発表以後、コラボレーション含め多数のアルバムを制作。二〇〇八年より弾き語りを開始、本名・鴨田潤名義で弾き語りアルバム「一」をリリース。二〇一二年、初の長編小説「てんてんこまちが瞬かん速」を上梓。二〇一三年よりブログ「ガメ・オベールの日本語練習帳」に出会ったことから英語を学びはじめ、二〇一六年にニューヨークのMister Saturday Night RecordsよりJun Kamoda名義で12インチ「The Clay E.P」他複数枚のシングルを、また二〇一八年にブリストルのBlack AcreからJun Kamodaとしての1stアルバムを発表。

言葉の星座

2020年4月24日 初版第1刷発行

著者 鴨田 潤

編集・デザイン 菊地敦己

発行人 角張 渉
発行所 株式会社カクバリズム
〒150-0045 東京都渋谷区神泉町17-10 坂本ビル1F
Tel. 03-6455-3915
kakubarhythm.com

発売所 株式会社リトルモア
〒151-0051 東京都渋谷区千駄ヶ谷3-56-6
Tel. 03-3401-1042 Fax. 03-3401-1052
info@littlemore.co.jp
www.littlemore.co.jp

印刷・製本所 株式会社八紘美術

ISBN 978-4-89815-515-8 C0073